DE 249 BESTE MOPPEN

Eerste druk: oktober 2012
Tweede druk: december 2012

Copyright © 2012 BBNC uitgevers bv, Amersfoort
Ontwerp omslag: Imago Mediabuilders, Amersfoort
Ontwerp binnenwerk en zetwerk: Imago Mediabuilders, Amersfoort
Druk- en bindwerk: HooibergHaasbeek, Meppel

ISBN 978 90 453 1397 9

www.bbnc.nl
www.komteenman.nl

BRAM B. BOT
E 249 BESTE MOPPEN

KOMT EEN MAN BIJ DE DOKTER ...

BBNC uitgevers
Amersfoort, 2012

1

Een bus met drie nonnen krijgt een ongeluk, waarbij ze alle drie overlijden. Aan de hemelpoort wil Petrus eerst wel eens weten wat ze op hun kerfstok hebben, dus hij vraagt de nonnen wat het ergste is wat ze ooit hebben gedaan. 'Ik heb wel eens naar een piemel gekeken,' zegt de eerste non. 'Loop maar door,' zegt Petrus. 'Ik heb wel eens een piemel aangeraakt,' zegt de tweede. Waarop Petrus zegt: 'Als je je handen in dit water wast, mag je door.' De derde non stapt naar voren en zegt: 'Ik denk dat ik mijn mond moet spoelen, Petrus.'

2

Leon zit wat verlegen tegenover de dokter. 'Wat mankeert eraan?' vraagt de dokter. 'Mijn penis is nogal oranje, dokter,' antwoordt Leon. De dokter vraagt Leon zijn broek uit te trekken. Daarna zegt hij: 'Oké, gezien, trek maar weer aan. Mag ik vragen: wat voor werk doe je?' 'Ik ben werkloos,' zegt Leon. 'Wat doe je dan de hele dag?' vraagt de dokter. Leon: 'Niets eigenlijk. Ik kijk filmpjes en eet paprikachips...'

3

Moeder overste is met haar hele club op het strand. Op een gegeven moment gaat ze bij een strandtent ijs voor de dames halen. Maar als ze terugkomt, zijn alle nonnen verdwenen. Als ze richting zee kijkt, ziet ze ze allemaal in hun blote kont in zee zitten. Ze rent op de dames af en vraagt wat ze in godsnaam aan het doen zijn. Waarop de meest bijdehante, zuster Ilja, zegt: 'We hebben gehoord dat er schol zit. Dus dan zal er ook wel tong zijn.'

4

Karin Bloemen wandelt door Amsterdam als ze door een koerier op een scooter wordt aangereden. 'Zeg schat,' schreeuwt Karin, 'kun je niet om me heen rijden?' Waarop het scootergastje zegt: 'Sorry, daarvoor heb ik niet genoeg benzine in mijn tank.'

5

Sjefke klaagt er in zijn vaste Antwerpse kroeg tegen
zijn maten over dat hij er maar niet in slaagt zijn
vrouw een orgasme te bezorgen. 'Ze ligt er maar
wat te zuchten, maar er gebeurt niemendal,' zegt ie.
Een van zijn vrienden zegt: 'Daar weet ik wel wat op,
Sjefke. Ge moet een neger aan het voeteneind zetten
met een palmblad en die laten waaieren. Zul je eens
zien wat er gebeurt...'
Zo gezegd, zo gedaan. Maar eigenlijk verandert er
niets; een beetje gezucht en verder niks. De Belg
springt uit bed, pakt het palmblad van de neger en
zegt: 'Laat mij maar even waaieren en probeer jij het
eens met mijn vrouw.' De vrouw krijgt vervolgens
het ene orgasme na het andere, en na een uur ligt
de neger uitgeput op bed. Waarop Sjefke zegt: 'Zie je
nou wel, sukkel! Zo moet je dus waaieren!'

6

Petrus bekijkt het leven van de drie nonnen die zich bij hem aan de hemelpoort melden in een vogelvlucht en is zeer tevreden. 'Omdat jullie zo kuis hebben geleefd, mogen jullie nog één keer een week terug naar beneden en dan mag je zelf weten als wie.'

De eerste non zegt: 'Ik wil graag terug als prinses Máxima.' Petrus regelt het. De tweede: 'Ik graag als prinses Gracia.' Ook dit regelt Petrus. Dan is de derde non aan de beurt. 'Doe mij maar als Patricia Ratcliff.' 'Patricia Ratcliff? Wie is dat nu weer?' vraagt Petrus. Waarop de non een knipsel uit haar tas haalt uit een Brits tabloid met de kop: 'Patricia Ratcliff, the woman who was laid by a hundred men in seven days.'

7

Bertus komt bij de dokter en zegt: 'Dokter, ik voel me de laatste maanden zo lusteloos'. De dokter zegt: 'Dat herken ik, Bertus. Wat ik dan doe: ik geef mijn vrouw een ongelooflijke beurt en daarna voel ik me weer helemaal top. Ik zou zeggen: probeer het ook eens en kom volgende week terug.'

De week erna zit Bertus vrolijk tegenover de dokter. 'Nou dokter, dat was een prima tip. Ik voel me weer perfect. En by the way: wat woont u mooi!'

8

Een echtpaar van bijna 100 komt de stamkroeg binnen. De barman vraagt hoe het gaat en de man zegt: 'We gaan scheiden.' De barman snapt er niks van. 'Scheiden? Op jullie leeftijd nog?' 'Ja,' zegt de vrouw. 'We hebben gewacht tot de kinderen dood waren.'

9

Diederik keek met zijn vader in de dierentuin naar de gorilla's. Waarop Diederik fluistert: 'Kijk, papa, die ene is net oma!' 'Dat moet je niet zeggen, Diederik,' zegt zijn vader. 'Dat is namelijk een belediging.' Waarop Diederik zegt: 'Hoezo, die aap kon me toch niet horen?'

10

Zuster Claudia loopt tegen tien uur de afdeling op en vraagt aan mevrouw De Vries: 'Heeft u al ontlasting gehad?' Mevrouw De Vries kijkt verbaasd op en zegt: 'Nee, alleen nog maar ontbijt.'

11

Moeder overhoorde Dick-William, die in de huiskamer met zijn treinstel zat te spelen. 'De mongolen die nu willen uitstappen, moeten godverdomme snel wezen, want dit is de laatste halte. En die halve zolen die willen instappen, moeten snel met hun dikke reet gaan zitten, want we gaan vertrekken!'

Dit kon natuurlijk niet, dus moeder stapte op Dick-William af en zei: 'Zulke taal gebruiken wij niet. Voor straf twee uur naar je kamer. Als je daarna terugkomt, verwacht ik nette taal van je.'

Twee uur later hoort moeder Dick-William zeggen: 'Aan alle passagiers. Vergeet bij het verlaten van dit treinstel alstublieft uw bagage niet. Hopelijk had u een aangename reis en gaarne tot een volgende keer.' En tegen de nieuwe passagiers: 'Welkom, wij hopen dat u een aangename reis met ons zult hebben.'

Moeder is trots op Dick-William en loopt al met een glas limonade naar de woonkamer als ze hoort: 'En ben je pisnijdig over die twee uur vertraging... dan moet je bij die trut in de keuken zijn!'

12

Patty Brard loopt over de markt. Komt ze bij
een kraampje met allemaal lingerie. Ze ziet een
leuke bh hangen met witte kant en vraagt aan de
marktkoopman: 'Hoeveel kost dat bh-tje?' De man
zegt: 'Dertig euro.' Waarop Patty zegt: 'Ik geef je
er twintig voor.' Zegt de marktkoopman: 'Laat dan
maar hangen.'

13

Nadat Hanneke Groenteman langs de A10 een man
met autopech heeft geholpen, zegt hij: 'Mevrouw,
ik ben vertegenwoordiger in vibrators. Loop even
mee naar mijn kofferbak, dan mag u een mooie
uitkiezen.' Hanneke loopt mee en is blij: 'Doet u mij
die grijze dan maar.' Waarop de man zegt: 'Die krijgt
u niet, dat is mijn gastank.'

14

Hanske Deridder was zijn werk spuugzat. Op een dag zat hij in de kantine van het hoofdkantoor nabij Brussel waar hij werkte en toen kwam er een man op 'm af. 'U ziet er bedroefd uit,' zei de man. 'Dat is correct,' antwoordde Hanske. 'Hoe weet u dat?' De man zei: 'Ik zie altijd alles. Maar goed nieuws: ik kan u helpen. U drinkt zes pintjes, gaat naar dat flatgebouw hier tegenover, springt van het dak en voor u het weet, zit u hier weer vrolijk op uw stoel.'

Hanske is niet dom, dus die zegt: 'Ik ben niet dom. Doet u het eerst maar eens voor.' De man zegt: 'Geen probleem,' slaat zes bier achterover, gaat naar de andere flat, springt eraf en zit twee minuten later weer vrolijk tegenover Hanske. Waarop Hanske zegt: 'U heeft me overtuigd!' Hanske gaat naar de andere flat, springt van het dak en is dood. De man in de kantine lacht zich kapot. Waarop de kantinebeheerder zegt: 'Wat ben jij toch een ongelooflijke schoft als je dronken bent, Superman!'

15

Als de pastoor een opvolger zoekt, is dat geen sinecure. Hij gaat uit alle misdinaartjes de juiste man selecteren. Eerst moeten ze de weesgegroetjes foutloos prevelen. Wie dat niet kan, is ongeschikt. Er blijven negen jongens over.

Ook belangrijk: het celibaat. De pastoor laat het mooiste meisje uit de parochie komen en vraagt de jongens hun broek te laten zakken. Het meisje moet vervolgens langzaam langs de jongens lopen. De een na de ander gaat voor gaas. Plop. Plop. Plop. Enzovoort. Slechts één misdinaartje reageerde niet op het meisje. De pastoor zei: 'Jij wordt mijn opvolger,' en omhesde de jongen. Plop...

16

Komen twee peuters op de peuterspeelzaal. Zegt de ene tegen de andere: 'Ik zag vanochtend een condoom bij ons op de veranda liggen.' Zegt de andere: 'Wat is een veranda?'

17

Juf Tineke wil de kinderen leren dichten. Om duidelijk te maken wat het is, komt ze met het voorbeeld: 'Jan kookt in een pan.' Bijdehante Sywert steekt meteen zijn vinger op. 'Ik weet er ook een, juf. Ruth zit in de put en het water komt tot haar enkels.' De juf spreekt Sywert vermanend toe. 'Dat rijmt helemaal niet, Sywert.' Waarop Sywert zegt: 'Ik kan er toch niks aan doen dat het water niet hoger komt?'

18

De mannen die zich bij Petrus melden zijn door de eerste selectie. 'Nu nog even kijken welk vervoermiddel jullie in de hemel krijgen,' zegt Petrus. 'Hoe vaker je vreemdging, des te slechter het vervoer.'

De eerste man blijkt nooit vreemd te zijn gegaan en krijgt een Porsche. De tweede erkent dat hij vijf keer vreemd is gegaan en krijgt een Daewoo Matiz. De derde man staat als een otter te zweten. 'Wat is er met jou?' vraagt Petrus. 'Ik ben wel honderd keer vreemdgegaan,' zegt de man. 'Voor jou een brommer,' antwoordt Petrus.

Eenmaal binnen, worden de mannen begroet door prins Bernhard. Op rolschaatsen.

19

Maurice was vastbesloten deze zondagochtend tóch motor te gaan rijden, ondanks het tegenvallende weer. Hij glipte om zes uur het bed uit, kleedde zich aan, haalde zijn motor uit de schuur en ging naar buiten. Daar bleek het nog erger dan hij dacht. Hij ging terug naar binnen en keek op Teletekst. De ANWB waarschuwde alle weggebruikers om alleen in uiterste noodgevallen de weg op te gaan. IJzel, hagel, sneeuw – de hel.

Nu was Maurice wel eigenwijs, maar niet stom. Dus hij kleedde zich weer uit, ging terug naar de slaapkamer en kroop tegen zijn vrouw aan. 'Het is verschrikkelijk slecht weer, schat,' zei hij. Waarop zij antwoordt: 'Haha, en die man van mij is tóch gewoon gaan motorrijden, de sukkel!'

20

Als Frits bij zijn nieuwe huisarts zit, maakt hij een zwaar depressieve indruk. 'Wat is er aan de hand, beste man?' vraagt de dokter. 'Ik ben met een oerlelijke vrouw getrouwd vanwege haar geld,' zegt de man. Waarop de arts vraagt: 'En wat is daar zo erg aan?' En Frits zegt: 'Ik heb een miljoen gewonnen in de Postcodeloterij.'

21

Als Tim een tijdje op schoot zit bij oma, vraagt hij haar: 'Bent u echt van ijzer, oma?' Oma snapt de vraag niet en zegt: 'Hoe bedoel je, jongen?' 'Nou,' zegt Tim, 'papa vroeg gisteren aan mama of de ouwe tang vandaag nog zou komen.'

22

Michiel bestelt een cola als hij de kroeg binnenkomt. In een kooi zit een papegaai die zegt: 'Mag ik ook een cola?' Vijf minuten later gebeurt hetzelfde weer. Michiel raakt geïrriteerd en zegt: 'Als je dat nog een keer doet, spijker ik je aan de muur!' Maar de papegaai is hardleers, want als Michiel zijn derde cola bestelt, zegt ie weer: 'Mag ik ook een cola?' Dus Michiel pakt de papegaai, spijkert hem naast het kruisbeeld van Jezus aan de muur en gaat weer zitten. Vraagt de papegaai aan Jezus: 'Vroeg jij ook om een cola?'

23

Kees heeft een aangeboren afkeer van het geloof,
dus als een pastoor hem op straat de weg naar het
station vraagt, zegt hij: 'Zeg ik lekker niet.' De pastoor
is boos. 'Zo kom je nooit in de hemel, jongeman!'
Waarop Kees zegt: 'En jij niet bij het station.'

24

Johan reed met Bob mee naar het voetbalveld. Bob
reed bij elk stoplicht door rood. Waarop Johan zei:
'Doe normaal, man.' 'Dat doe ik altijd, want mijn
broer doet het ook,' antwoordde Bob. Bij het derde
stoplicht, dat op groen stond, ging Bob vol in de
remmen. 'Wat doe je nu!' riep Johan. Waarop Bob
zei: 'Ja, stel je voor dat mijn broer van de andere kant
komt!'

25

'Mama, papa ligt op de nanny in jouw slaapkamer,'
zei Alexander tegen zijn moeder. Moeder ging
geschokt naar haar slaapkamer en trof daar niemand
aan. Toen ze boos weer bij Alexander kwam, zei die:
'1 April, het is in de logeerkamer.'

26

Een agent heeft zijn target nog niet gehaald, dus besluit hij bij een café eens wat dronkenlappen te gaan bekeuren. Vlak na middernacht zwalkt de eerste de kroeg uit, zingend, schreeuwend, lallend. De man pakt zijn autosleutel uit zijn zak, probeert op zijn dooie gemak eerst vier verkeerde auto's te openen tot hij eindelijk de zijne heeft, en neemt plaats achter het stuur.

De agent rent op de auto af en zegt: 'Bingo, meneer, dat wordt een flinke boete.' 'Maar ik heb helemaal niet gedronken, meneer agent.' De agent gelooft er niks van, maar een blaastest geeft de automobilist gelijk: broodjenuchter. 'Hoe kan dat nou?' vraagt de agent. 'Ik ben vandaag de Bram; de Broodnuchtere Rijdende Afleidings Manoeuvre.'

27

Een Afrikaan pakt in de bibliotheek een vlieg uit de lucht en eet 'm op. Bram ziet dat en als er bij Bram een vlieg op zijn been zit, slaat hij 'm dood. Hij loopt naar de Afrikaan en vraagt: 'Kopen?'

28

Koningin Beatrix, Alexander Pechtold en Diederik Samsom zitten bij elkaar in het Bilderberg Hotel. Koningin Beatrix zegt: 'Mijn droom is om over de Benelux te heersen!' Alexander Pechtold zegt: 'Mijn droom is om over heel Europa te heersen!' Diederik Samsom zegt: 'Ik ben al blij als ik thuis de baas word!'

29

De psychiater heeft te doen met Boudewijn, die denkt dat hij een rookworst is. Eindelijk heeft de psychiater hem zover dat Boudewijn zegt: 'Ik ben geen rookworst.' 'Goed zo, jongen, Ga nu maar naar huis.'

Even later speert Boudewijn de spreekkamer van de psychiater weer binnen. 'Dokter, dokter, ik kwam een hond tegen!' Waarop de psychiater zegt: 'Maar je weet nu toch dat je geen rookworst bent?' 'Ja, dokter, ik wel. Maar die hond nog niet!'

30

De man die in de kroeg een biertje bestelt, drinkt het niet eens leeg voor ie weer vertrekt. 'Het ruikt hier naar poep,' vertelt hij de barman. Even later gebeurt bij een andere klant precies hetzelfde. De barman loopt snel naar de buurtsuper en koopt een spuitbus met dennengeur. Opgelost, denkt hij. Tot de volgende klant zijn biertje ook razendsnel naar binnen werkt, opstaat en vraagt: 'Wie heeft er in het bos zitten poepen?'

31

Jantje heeft op het gebied van seks niets níet geprobeerd. Tot hij een van zijn vrienden over 'nonnenseks' hoort. Jantje rijdt met zijn Volvo naar het dichtstbijzijnde klooster en vraagt aan de non die opendoet: 'Kan ik hier ook terecht voor nonnenseks?' De non zegt: 'Ja, hoor, voor 200 euro weet je alles.' Jantje betaalt keurig 200 euro en de non verwijst hem naar de tweede deur rechts. Jantje opent de deur en ziet op de spiegel een briefje hangen. 'U bent genaaid door de nonnen.'

32

Twee Belgen zijn heel hard aan het werken in de stad. De ene graaft een geul en de andere gooit 'm dicht. Als een Nederlander langskomt en vraagt wat dat allemaal voor zin heeft, zegt de eerste man: 'Onze kabellegger is ziek vandaag.'

33

Twee vrachtwagenchauffeurs merken in het truckerscafé dat ze hun rijbewijs zijn vergeten. Ze besluiten het er toch op te wagen. Bij de grens zegt de douanier: 'Da's een probleem. Wat is uw lading?' 'Spruitjes,' antwoordt de eerste chauffeur. 'Oké, als u er tien in uw mond kunt stoppen, mag u door.' De chauffeur begint keihard te lachen. 'Waarom lacht u?' vraagt de dounier. De chauffeur: 'Mijn collega hierachter vervoert kokosnoten.'

34

Bier bevat heel veel vrouwelijke hormonen, wist je dat? Als je vijftien glazen hebt gedronken, sla je wartaal uit, bemoei je je overal mee en kun je geen auto meer rijden.

35

Een mooie zakenvrouw heeft 's avonds in het restaurant van een hotel met een mannelijke collega afgesproken. Hij wil vooral vergaderen, zij heeft andere plannen. Naarmate de drank rijker vloeit, krijgt ze steeds meer zin in hem. Ze trekt haar schoen uit, laat haar voet langs zijn been omhoog gaan en vraagt: 'Moeten we geen kamer boeken, nu we hier toch zijn?' De man kijkt wat ongemakkelijk. 'Is er iets?' vraagt de vrouw. Waarop hij zegt: 'Ik ben getrouwd.' Zij weer: 'Vind ik niet erg.' Hij: 'Mijn Robert wel.'

36

Het lukt Henk en Barbara maar niet om kinderen
te krijgen. Ze zijn al diverse keren getest en er lijkt
niets aan de hand met haar eitjes en zijn zaadjes.
Maar wat ze ook proberen: het lukt maar niet.
Henk hoort van een collega-politicus dat er een
Amerikaanse arts is die hen zeker kan helpen, en
Henk en Barbara vliegen onmiddellijk naar Amerika.

De 'wonderdokter' vraagt hen in zijn behandelkamer
seks te hebben. Na tien minuten zegt hij: 'Kleed u
zich maar weer aan.' Hij schrijft iets op een briefje
en zegt: 'Als u dit doet, is mevrouw binnen drie
maanden zwanger.'

Barbara gaat terug in Nederland meteen naar
de apotheek en zegt: 'Ik wil graag Theotreol'. De
apotheker snapt er niets van en zegt: 'Mag ik dat
briefje even lezen?' Hij pakt het briefje en leest
hardop voor: 'Try the other hole.'

37

Harm staat bekend als een gierigaard. Zijn eerste hoerenbezoek, hartje winter, moet dan ook niet te duur worden. Als hij binnen is bij een wat oudere, niet meer zo populaire prostituée, is haar eerste vraag: 'Heb je het niet koud in je korte broek?' Waarop Harm zegt: 'Jawel, maar volgens mijn vrienden is het zonder pijpen goedkoper.'

38

Thomas is niet zo blij met zijn piemel van 20 centimeter, want zijn vrouw heeft er moeite mee. De dokter zegt dat er wel iets aan te doen is. 'Ga naar de toverkikker, laat hem 'nee' zeggen en dan gaat er drie centimeter af.' Zo gezegd, zo gedaan. Thomas vraagt de kikker of hij zin heeft om naar Nieuwsuur te kijken. De kikker zegt 'nee' en de piemel van Thomas is nog maar 17 centimeter. Waarop hij zegt: 'Zo, dat is knap. Kunnen alle kikkers dat?' De kikker is een beetje beledigd en zegt: 'Nee, nee, nee en nog eens nee!'

39

Jans vriendin stond voorovergebogen bij het vriesvak te kijken naar een lekker stukje vis voor die avond. Ze had een minirokje aan, was lekker gebruind door de zomer en Jan kon zich echt niet meer inhouden. Zijn vriendin reageerde als door een adder gebeten en sloeg 'm met de bevroren vis op zijn hoofd. 'Vind je het niks,' vroeg hij haar geschrokken. Zij: 'Tuurlijk wel, maar er komen ouders van mijn leerlingen hier bij de Aldi, gek!'

40

Als Bram en Moos zitten te bridgen, vraagt Moos: 'Hoe groot is de kans dat ik dertien kaarten krijg van één kleur?' 'Bijna onmogelijk,' zegt Bram. 'Als dat je overkomt, mag jij met mijn vrouw naar bed.'

Drie maanden later zitten ze weer te bridgen. Opeens vraagt Moos aan Bram: 'Die vrouw met die hangtieten en die snor, daar op de hoek van de bar, dat is toch jouw vrouw?' 'Ja,' zegt Bram. Waarop Moos zegt: 'Ik pas.'

41

Marie 14 staat al dagenlang stijf in de hoek van het weiland, tegen het prikkeldraad. Alle dieren dartelen vrolijk om haar heen. Op een gegeven moment vraagt een vogeltje aan Marie: 'Zeg koe, waarom sta jij al dagen stokstijf in de hoek?' Waarop Marie antwoordt: 'Volgens Helga van Leur krijgen we in het midden van het land noodweer.'

42

Op de dag waarop Co en Joost 12,5 jaar getrouwd zijn, zegt Joost: 'Kom op vrouw, pak je koffers, dan gaan we naar Siberië!' Co springt haar bed uit en roept: 'Goh, wat leuk! Maar da's wel heel ver. Wat doen we dan als we 25 jaar getrouwd zijn?' Joost: 'Dan haal ik je weer op!'

43

Als het domme blondje ligt te bevallen, ziet de verloskundige een zwart hoofdje naar buiten komen. 'Heb je het ooit met een neger gedaan?' vraagt ze het blondje. Die zegt: 'Maar één keer, zuster.' 'Dat kan genoeg zijn,' zegt de verloskundige.

Daarna komt het gele lijfje er uit en vraagt de verloskundige of het blondje het ook met een Chinees heeft gedaan. 'Ook maar één keer,' antwoordt ze. Als het onderlijf rood blijkt, vraagt de verloskundige uiteraard of het blondje het ook met een indiaan heeft gedaan – en het antwoord laat zich raden: 'Eén keer maar.'

Eindelijk is de hele baby eruit en de verloskundige houdt het kind op zijn kop. 'Niet doen,' schreeuwt het domme blondje. 'Waarom niet?' vraagt de verloskundige. 'Straks gaat ie blaffen!'

44

Els is het een beetje zat dat Martin alleen seks met haar wil hebben in het donker. Dus wat doet ze? Ze gooit opeens tijdens de seks het licht aan. Tot haar grote schrik ziet ze dat Martin een komkommer in zijn hand heeft. 'Heb jij mij daar de afgelopen jaren mee bevredigd?' roept ze woedend uit. 'Gluiperige klootzak dat je er bent!' Waarop Martin zegt: 'Over gluiperig gesproken... Hoe komen wij aan twee kinderen?'

45

Als Siska bij de dokter is geweest, zegt de assistente: 'U kunt mij volgende week bellen voor de uitslag.' Siska heeft het een week later te druk, dus ze vraagt haar man even te bellen. De assistente neemt op en als hij heeft uitgelegd dat het bloed van zijn vrouw is onderzocht, vraagt die haar naam en geboortedatum. De assistente zegt: 'Oh ja, dit geval. Het probleem is dat er twee dames zijn met dezelfde naam én geboortedatum.' 'En nu?' vraagt Siska's man. 'Nou,' zegt de assistente, de ene Siska heeft Alzheimer en de andere Siska heeft aids. Neem uw vrouw mee naar de kroeg en laat haar daar alleen achter. Als ze thuiskomt: ga niet met haar naar bed.'

46

Moos zit aan de bar naast een bloedmooie vrouw
en na drie wijntjes durft hij de vraag wel te stellen.
'Als ik je 1.000 euro geef, ga je dan een nachtje met
mij mee?' De vrouw zegt meteen 'ja'. Vervolgens
vraagt Moos: 'En als ik je 20 euro geef?' De vrouw
wordt kwaad en zegt: 'Wat denk je wel niet dat ik
ben?' Waarop Moos zegt: 'Over het beroep is geen
misverstand, alleen over de prijs zijn we het nog niet
eens.'

47

Wie is je beste vriend, je hond of je vrouw? Zet
beide een uur in de achterbak van je auto, doe de
kofferbak dan open en kijk maar eens wie er blij is je
weer te zien.

48

De belastingsinspecteur komt langs bij een synagoge. Terwijl hij de boeken controleert, vraagt hij de rabbijn: 'Ik zie dat u veel kaarsen koopt, wat doet u eigenlijk met het overgebleven kaarsvet?' De rabbijn: 'Dat sparen we op en geven we terug aan de fabrikant. Eens in de zoveel tijd sturen ze ons dan een doos met gratis kaarsen toe.'
De belastinginspecteur ging door: 'En wat doet u met de kruimels van de matzes?' De rabbijn realiseerde zich dat de inspecteur hem wilde pakken en zei: 'Wij verzamelen de kruimels en geven deze terug aan de fabrikant. Eens in de zoveel tijd sturen ze ons dan een doos met gratis matzes.' 'Nou rabbijn, dan rest me nog één vraag. Wat doet u met alle overblijfselen van de besnijdenissen?' 'Ook die sparen we op,' antwoordde de inmiddels woedende rabbijn. 'We verzamelen alle stukjes voorhuid en sturen die naar de Belastingdienst. En eens in de zoveel tijd sturen ze ons dan een lul om de boeken te controleren.'

49

Nanette vindt haar borsten te klein en meldt zich bij de dokter. Ze hoopt op een zalfje of een pilletje om grotere borsten te krijgen, maar de dokter ziet daar niets in. 'Ik heb wel iets anders. Als u elke dag om precies 12.00 uur uw borsten beetpakt, er twaalf keer mee heen en weer schudt en 'in een groen, groen, groen, groen knollen-, knollenland' zingt, zullen ze groeien.'

Het lijkt Nanette aanvankelijk onzin, maar verdomd: het werkt. Drie weken later zit ze in Amsterdam in de tram als de klokken twaalf uur slaan. Oei, bijna vergeten! Ze doet haar bh uit en begint te schudden en te zingen. Waarop de man tegenover haar roept: 'Shit!' Hij trekt zijn broek uit, pakt zijn piemel, begint er mee te schudden en zingt: 'Klein, klein kleutertje...'

50

Als Jelmer van 8 en zijn vader in de drogisterij langs de condooms lopen, vraagt Jelmer: 'Wat zijn dat?' 'Condooms, Jelmer,' zegt vader. 'Mannen gebruiken die om veilig te vrijen.' 'Maar waarom zitten er drie in?' vraagt Jelmer. Waarop vader zegt: 'Die zijn voor studenten: één voor vrijdag, één voor zaterdag en één voor zondag.' 'Maar in die doos zitten er twaalf,' zegt Jelmer, als hij op een grotere verpakking wijst. 'Klopt,' zegt zijn vader. 'Die zijn voor getrouwde mannen. Januari, februari, maart...'

51

Mees is een groot gat in de tuin aan het graven. 'Waarom doe je dat, Mees?' vraagt de buurvrouw. 'Mijn goudvis is dood gegaan en nu ga ik 'm begraven, buurvrouw.' 'Maar waarom zo'n groot gat, Mees?' 'Omdat uw kat er nog omheen zit, buurvrouw.'

52

In een vliegtuig van Delta Airlines, met Pamela Anderson, Cindy Crawford en Naomi Campbell aan boord, ontstaat paniek. Een kaping!

Pamela Anderson doet onmiddellijk haar shirt en bh uit. 'Waarom?' vraagt Cindy. 'Ach, iedereen is gek op mijn borsten, dus als het vliegtuig crasht, gaan ze allemaal mij zoeken om mijn borsten te kunnen zien.' Cindy begint zich meteen heftig op te maken. 'Waarom?' vraagt Pamela. 'Iedereen vindt mij de mooiste van de wereld, dus ik neem aan dat ze na een crash eerst de mooiste van de wereld willen vinden.' Waarop Naomi haar broek en string uit begint te trekken. 'Wat doe jij nou?' roepen Pamela en Cindy in koor uit. 'Ach,' zegt Naomi, 'jullie weten toch dat ze na een vliegtuigcrash altijd als allereerste op zoek gaan naar de zwarte doos...'

53

Kees heeft vreselijke zweetvoeten, maar dat kan ie goed verbergen met allerlei luchtjes. Zijn vriendin Anja stinkt juist weer ongelooflijk uit haar mond, maar bij haar doet kauwgum wonderen. Op een avond liggen ze samen in bed en zegt Anja tegen Kees: 'Schat, ik moet je iets bekennen...' Waarop Kees zegt: 'Je hebt mijn sokken opgegeten?'

54

Het bloedmooie Chinese meisje vroeg de wat boerse klant: 'Wilt u menu?' Waarop de klant zegt: 'Straks, eerst even eten.'

55

Een korporaal ziet een soldaat met lange tanden soep eten. 'Smaakt het niet, soldaat?' vraagt hij. 'Jawel, korporaal, maar...' 'Wat nou maar, soldaat?' 'Er zit nogal veel zand in, korporaal.' 'Niet zo klagen soldaat, u bent hier om het vaderland te dienen.' 'Dat wel, korporaal, maar toch niet om het op te eten?'

56

Een Belg en een Nederlander zijn in het vliegtuig tot elkaar veroordeeld. De Belg heeft geen zin in een praatje, maar de Nederlander wil per se een spelletje doen. 'Ik stel jou een vraag en als je het antwoord weet, krijg je vijf euro en zo niet, dan betaal je mij vijf euro.' De Belg heeft geen zin. Maar de Nederlander blijft aandringen. 'Oké, als je het weet, krijg je 500 euro en als je het niet weet, krijg ik er vijf van jou.' De Belg wil van het gezeur af zijn, dus hij stemt in. De Nederlander vraagt: 'Hoe heet de landskampioen voetbal van Nederland?' De Belg geeft geen antwoord en betaalt meteen de vijf euro.

'Nu mag jij,' zegt de Nederlander. De Belg fleurt op en vraagt: 'Wat gaat met drie benen de heuvel op en komt met vier benen weer beneden?' De Nederlander heeft geen flauw idee. Hij zit uren via de vliegtuigtelefoon te internetten om het antwoord te zoeken, maar vlak voor de landing op Aruba geeft hij het op. Hij maakt de Belg wakker en zegt: 'Oké, geen idee, hier heb je 500 euro. Maar wat was het nou?' De Belg pakt vijf euro uit zijn portemonnee, geeft die aan de Nederlander en zegt: 'Ik weet het ook niet. Maar ik heb wel lekker geslapen.'

57

De commandant heeft genoeg van sergeant Emile. Emile bleef namelijk maar weddenschappen afsluiten. Op zijn nieuwe kazerne meldt Emile zich bij zijn nieuwe commandant, die op de hoogte is van Emiles wedslust. Tijdens het kennismakingsgesprek vraagt hij waarom Emile zoveel wedt. 'Gewoon, voor de lol. Zo wed ik om 100 euro dat u een moedervlek ter grootte van een punaise op uw rechterbil heeft.' De commandant wist zeker dat dat niet zo was, dus die laat zijn broek zakken, Emile maakt een foto met zijn telefoon, beide bekijken de foto en inderdaad: Emile betaalt 100 euro.

Even later wordt de commandant gebeld door Emiles vorige commandant. 'Is Emile al gearriveerd?' 'Jawel. En ik heb al 100 euro aan hem verdiend ook.' Het is even stil aan de andere kant van de lijn. 'Je hebt toch niet toevallig je broek laten zakken, hè? Want hij heeft met ons gewed om duizend euro dat ie je binnen vijf minuten in je blote kont zou krijgen...'

58

De toerist wil na een lange dag in Paramaribo een frisse duik in de rivier nemen. 'Zitten hier haaien?' vraagt ie aan de gids, ene Tara. 'Nee,' zegt Tara. Waarop de toerist een duik neemt. En Tara zegt: 'Alleen krokodillen.'

59

Het ministerie van Defensie heeft de dienstplicht weer ingevoerd en Thomas moet gekeurd worden. Bij de ogentest vraagt de keuringsarts hem de letters op de bovenste regel van de kaart op te lezen. 'Welke kaart?' vraagt Thomas. Toen de dokter vervolgens een hark omhoog hield en vroeg wat het was, antwoordde Thomas: 'Een pen.' Uiteraard kwam Thomas niet door de keuring. Hij besloot dat te vieren met zijn maten en met hen naar Ajax-Feyenoord te gaan. Toen hij zijn plek op de tribune had gevonden, zag hij tot zijn schrik dat hij naast de keuringsarts van de vorige dag zat. Hij keek de arts aan en vroeg: 'Vliegt u vaker met de KLM?'

60

Prins Bernhard komt bij de hemelpoort en Petrus zegt: 'Bernhard, jij hebt je zo slecht gedragen, je komt hier echt niet zomaar binnen. Je moet een tweede kans echt verdienen. Ik wil dat je die 1.000 doosjes die daar staan, beneden gaat uitdelen aan mannen die hun vrouw nooit hebben bedrogen, die nooit hun vrouw sloegen en die nooit hun vrouw iets tekort hebben gedaan.'

Weet jij wat er in het doosje zat?

61

Feitelijk zijn de hemel en de hel gewoon twee tuinen, die van elkaar gescheiden worden door een mooi houten hek. Op een dag ziet God dat het tuinhek kapot is. Hij verdenkt iemand uit de tuin van de buren en gaat verhaal halen bij de duivel. 'Duivel, wanneer repareer je het hek?' 'Niet,' zegt de duivel. 'Dan stuur ik Bram Moszkowicz op je af,' zegt God. 'Lijkt me sterk,' zegt de duivel. 'Alle advocaten wonen bij mij.'

62

Teun belt zijn vrouw en zegt: 'Schat, ik ben opeens uitgenodigd om een week naar een golftoernooi in Spanje te gaan. Daar kan ik mooi in een goed blaadje komen bij de directie. Maar we vliegen straks al. Wil jij mijn tas pakken en mijn golfspullen? En vergeet alsjeblieft mijn gele zwembroek niet, want we gaan misschien ook nog een dag naar het strand.'

Zijn vrouw vertrouwt het voor geen meter, maar doet het allemaal toch maar. Vlak daarna komt hij thuis, laadt zijn spullen in en vertrekt naar het vliegveld. Na een week komt hij vermoeid, maar vrolijk weer thuis. Zijn vrouw informeert naar zijn relatie met de directie. 'Hartstikke goed,' zegt Teun. 'Maar schat, waarom had je mijn zwembroek eigenlijk niet ingepakt?' 'Dat had ik wel,' zegt ze. 'In je golftas.'

63

Een prachtige vrouw komt bij de gynaecoloog. Voor ze een woord kon zeggen, vroeg hij haar zich te ontkleden. Hij tastte tussen haar benen en vroeg: 'Weet je wat ik nu doe?' 'Ja, u checkt of er geen ongelijkheden zitten.' Daarna bevoelde hij haar borsten. 'Weet je wat ik nu doe?' 'Ja, u checkt of er geen knobbeltjes zitten.' De arts dacht dat hij wel door kon gaan, dus hij besloot seks met haar te hebben. 'Weet je wat ik nu doe,' vroeg hij. 'Ja, u krijgt een soa, want daar kwam ik voor.'

64

Er lopen twee muizen door de woestijn. Plotseling vliegt er een vleermuis over. Zegt de ene muis tegen de andere muis: 'Kijk, dat is mijn broer. Die zit bij de luchtmacht.'

65

Sybe komt in een hotelbar naast een vrouw te zitten. Ze raken aan de praat en al snel bekent de vrouw nymfomane te zijn. Ze beweert alles te weten over mannen. 'Oh ja?' zegt Sybe. 'Kunt u mij dan vertellen of het waar is dat Afrikaanse mannen grotere...' 'Penissen hebben?' neemt ze over. 'Nee, maar indianen wel.' Sybe slikt en vraagt: 'En wie zijn de beste minnaars?' Waarop de nymfomane zegt: 'Iedereen denkt de Fransen, maar het zijn de Grieken.'

Nadat Sybe naar de wc is geweest, zit ze nog altijd op hem te wachten. 'Wat onbeleefd van me eigenlijk dat ik me niet aan u heb voorgesteld: Femke. En hoe is uw naam?' Sybe antwoordt: 'Winnetou Papadopoulos, aangenaam!'

66

Willem en Ria maken een autoritje en zien langs de kant van de weg een aangereden stinkdiertje liggen. Willem stopt, Ria stapt uit, raapt het beestje voorzichtig op en gaat weer zitten, met het stinkdiertje op schoot. 'Dat gaat wel stinken,' zegt Willem. Waarop Ria zegt: 'Daar went ie wel aan.'

67

Vlinder vraagt de juf of ze naar de wc mag. Even
later komt ze huilend terug. 'Juf, ik zat op het toilet
en toe kwam er allemaal bloed.' De juf realiseert zich
dat Vlinder voor het eerst ongesteld is geworden en
zegt: 'Weet je, Vlinder, ga maar even naar huis en
dan kan Keesje wel even met je meelopen, voor de
zekerheid.'

Onderweg vraagt Keesje wat er aan de hand is.
Vlinder legt uit dat ze allemaal bloed in haar broekje
heeft. 'Laat zien,' zegt Keesje. Na veel gezeur doet
Vlinder haar rokje omhoog en broekje omlaag.
Keesje schreeuwt het uit: 'Vind je het gek dat je
bloed hebt? Je snikkel ligt eraf!'

68

Een Arnhemmer en een Nijmegenaar zitten op
een bankje. Komt er een beest langsvliegen. Zegt
de Arnhemmer: 'Hé, een hommel.' Waarop de
Nijmegenaar reageert: 'Nee, hoor, een strontvlieg in
het shirt van Vitesse.'

69

Als Dirk weer te laat op school komt, vraagt de meester: 'Wat is nu weer je smoes?' 'Nou,' zegt Dirk, 'het was buiten zo glad dat ik bij elke stap naar voren twee stappen naar achteren gleed.' 'Hoe kwam je dan hier?' vroeg de meester. Dirk: 'Ik ben naar huis gaan lopen.'

70

De drie nonnen die zich bij Petrus melden, hebben zich zo voorbeeldig gedragen beneden dat Petrus ze wel wil belonen. De eerste, 25 jaar pas, zegt: 'Petrus, ik heb nooit het oog laten vallen op een man. Wat krijg ik van u?' Waarop Petrus zegt: 'U mag eenmaal van een echte man genieten, met een penis van wel 25 centimeter lang. Derde kamer links.' Daarna is het 45-jarige nonnetje aan de beurt. 'Tweede kamer links,' zegt Petrus. 'Tien centimeter lijkt mij voor u wel genoeg, gezien uw leeftijd.' Daarna komt non drie, die al 75 jaar is. Petrus vindt vijf centimeter voor haar het maximale. Hij zoekt lang in zijn boek en zegt dan: 'Sorry, Wesley Sneijder is nog niet dood.'

71

Een vrachtwagenchauffeur komt nadat hij al ruim een maand van huis is, langs een bordeel. Hij besluit te stoppen. Eenmaal binnen zegt hij: 'Hier heb je 200 euro. Ik wil graag een vieze kop soep en de lelijkste vrouw die jullie hebben.' De bardame zegt: 'Voor dat bedrag kunt u een veel mooiere vrouw krijgen en ook behoorlijk te eten.' Waarop de chauffeur zegt: 'Ik heb geen zin in seks, ik heb gewoon heimwee naar thuis.'

72

Een 51-jarige man ziet er na een facelift als nieuw uit. In de kledingzaak vraagt hij aan de vrouw bij de kassa: 'Hoe oud denkt u dat ik ben?' De vrouw antwoordt: '29?' 'Nee, 51!' 'Goh, dan ziet u er heel jong uit!'

Daarna gaat de man met de trein naar huis. Hij zit naast een lelijk oud vrouwtje en vraagt haar: 'Hoe oud denkt u dat ik ben?' De vrouw zegt: 'Om daar achter te komen, moeten we even het toilet bezoeken, hè?' De man vindt het een raar idee, maar is ijdel genoeg – en wordt zo ongeveer aangerand. Dan zegt de vrouw: '51.' 'Hoe weet u dat?' vraagt de man. 'Ik stond achter u in de kledingzaak.'

73

Vier Belgen rijden in een Skoda over de Wallen. De
bestuurder opent zijn raam en vraagt een hoertje:
'Wat kost het bij u?' Waarop zij zegt: '75 van voor
en 150 voor van achter.' Een van de Belgen achterin
draait zijn raampje ook open en zegt: 'Waarom moet
ik in godsnaam meer betalen?'

74

Een juf is nieuw op een basisschool in Amsterdam.
Op haar eerste schooldag wil ze een beetje slijmen,
dus ze vraagt de leerlingen die net als zij voor Ajax
zijn, hun hand op te steken. Op Bobbie na doen
ze het allemaal. De juf vraagt aan Bobbie waarom
hij zijn hand niet opstak. 'Omdat ik geen Ajax-
supporter ben, juf. Ik ben Feyenoord-supporter en ik
ben er trots op!'

De juf vraagt hoe dat zo is gekomen. 'Nou,' zegt
Bobbie, 'mijn vader en moeder zijn Feyenoord-
supporters, dus ben ik het automatisch ook.'
Waarop de juf zegt: 'Maar dat hoeft toch helemaal
niet? Stel dat je moeder een hoer was en je vader
een homo, wat zou jij dan zijn?' Bobbie: 'Ajax-
supporter!'

75

Als Jan-Leen met zijn zoon Manus voor het eerst
in New York is, gaan ze met een lift naar de 88ste
verdieping. Waarop Manus vraagt: 'Papa, weet Onze
Lieve Heer dat we eraan komen?'

76

De vrouw die al maanden in coma lag in het
ziekenhuis, bleek opeens te reageren wanneer
haar kruis werd gewassen. Haar man werd gebeld
en de verpleegster zei: 'Misschien dat ze nog
verder ontwaakt bij orale seks.' De man ging naar
het ziekenhuis, kreeg een kamer toegewezen, de
verpleegster blindeerde de ramen en hij kon aan
de slag. Maar nog geen vijf minuten later meldde
de man zich in paniek weer bij de verpleegster.
'Help, mijn vrouw gaat dood!' De verpleegster riep
meteen de artsen en vroeg daarna aan de man wat
er eigenlijk gebeurd was. Waarop de man zei: 'Ik ben
natuurlijk geen dokter, maar ik denk dat ze gestikt is.'

77

Er wordt aan de deur gebeld en Mark doet open. Een man vraagt: 'Is je vader thuis?' 'Nee,' zegt Mark, 'die is overreden door een tractor.' 'En je moeder dan?' 'Ook overreden door een tractor.' 'En een oudere broer of zus?' 'Ook overreden door een tractor.' 'Knul, wat erg. Waarom jij eigenlijk niet?' 'Ik reed op de tractor.'

78

Als Chris naar de dokter moet voor onderzoek, moet hij een flesje urine meebrengen. Onderweg komt hij langs de kroeg. Omdat ie bang is dat ie straks niet meer mag drinken, besluit hij even een tussenstop te maken. 'Doe mij een borrel,' zegt ie tegen de barkeeper. Die doet dat en Chris zegt: 'Zo, dat is een lekkere Bokma!' De barkeeper zegt: 'Onmogelijk meneer, ik zit al 40 jaar in het vak en kan ze nog niet uit elkaar houden.' 'Doe maar een andere dan,' zegt Chris. En even later: 'Ketel 1!' De barkeeper is verbijsterd. En dan zegt Chris: 'Ach, jij kunt het ook, man! Geef eens een glaasje.' De barkeeper doet het en ongezien gooit Chris wat van zijn urine in het glaasje. De barkeeper neemt een slok en zegt: 'Dat lijkt wel pis'. Waarop Chris zegt: 'Zie je wel!'

79

Wat zeg je tegen een Marokkaan met een stropdas om? 'Een BigMac, een frites mayo en een kleine cola, alstublieft.'

80

De paus landt op Schiphol en alle mensen op het vliegveld schreeuwen 'm toe. 'Elvis! Elvis! Elvis!' De paus is wat beledigd als hij zijn limousine in stapt. Als hij door Amsterdam rijdt, roepen alle mensen langs de straat ook al: 'Elvis! Elvis! Elvis!'. Hij wordt steeds kwader. Bij het Amstel Hotel zegt de portier: 'Elvis, mag ik een handtekening?' Woedend beent de paus langs de receptie naar zijn suite. Daar aangekomen, liggen er twee bloedmooie vrouwen op zijn bed. De mooiste zegt: 'Hoi, Elvis!' En de paus: 'Ain't nothing but a hound dog...'

Bram B. Bot

81

Tegen Sinterklaastijd besluit Tommie een brief naar Sinterklaas te sturen. Hij heeft een mooie fiets gezien in een folder, maar zijn moeder is heel arm en zijn vader is dood, schrijft hij aan Sinterklaas. De fiets kost 200 euro.

De medewerkers van het postkantoor onderscheppen de brief en besluiten geld in te zamelen voor Tommie. Uiteindelijk halen ze 194 euro op en dat sturen ze in een nieuwe envelop naar Tommie. Als Tommie de envelop heeft geopend, stuurt hij weer een brief naar Sinterklaas. 'Lieve Sinterklaas, ik weet zeker dat u mij 200 euro gestuurd had, maar die klootzakken van het postkantoor hebben zes euro gejat. Toch bedankt, Tommie.'

82

Cees werd aangehouden op de ringweg rond Amsterdam. Vraagt de agent: 'Meneer, heeft u gedronken?' Waarop Cees antwoordt: 'Wat zegt u, ober?' De agent, nogmaals: 'Of u gedronken heeft.' Cees: 'Een biertje of twintig, een paar glazen jenever en een fles wijn.' Waarop de agent zegt: 'Dan moet u toch even blazen.' En Cees: 'Hoezo? Geloof je me niet?'

83

Theo zit in zijn stamcafé somber voor zich uit te
staren. 'Whats up, Theo?' vraagt Niek. 'Nou,' zegt
Theo, 'twee weken geleden ging mijn vader dood,
toen erfde ik een ton. Vorige week ging mijn tante
dood, 50.000 euro...' 'Wat is dan het probleem?'
vraagt Niek. Theo: 'Deze week nog niks.'

84

Een Brit, een Amerikaan en een Belg hebben ruzie.
Als de politie eraan komt, maken ze het snel goed.
De Amerikaan zegt: 'I'm sorry.' De Brit: 'I'm sorry
too.' De Belg: 'Okay, than I'm sorry three.'

85

De marechaussee houdt Piet-Hein goed in de gaten,
omdat ie al de hele dag heen en weer fietst voor
paleis Soestdijk. Op een gegeven moment zet hij
zijn fiets zelfs tegen het paleis aan. De marechausse
loopt onmiddellijk naar de man toe en zegt:
'Meneer, u moet die fiets daar weghalen, hoor, dit
is paleis Soestdijk.' Waarop de man zegt: 'Hij staat
op slot en prins Bernhard is dood, dus die staat er
morgen echt nog wel.'

86

Wat is het toppunt van gemengde gevoelens? Dat je schoonmoeder in jouw nieuwe auto het ravijn in rijdt.

87

Twee muisjes spelen verstoppertje, een mannetje en een vrouwtje. Het vrouwtje zegt: 'Ik ga me verstoppen. Als je me binnen drie minuten vindt, mag je me aaien. Als je me binnen twee minuten vindt, mag je me kussen. En als je me meteen vindt, mag je alles met me doen wat je wilt. Ik zit in het keukenkastje.'

88

Er komen drie brouwerijmedewerkers de kroeg in. Die van Heineken zegt: 'Doe mij maar een Heineken.' Die van Bavaria zegt: 'Doe mij maar een Bavaria.' Die van Hertog Jan zegt: 'Doe mij maar een water. Als zij geen bier drinken, doe ik het ook niet.'

89

De bejaarde zit aan de bar al een hele tijd geïntrigeerd naar een jongen met een hanenkam te kijken. Op een gegeven moment wordt de jongen het zat en vraagt hij: 'Hé, ouwe, heb ik iets van je aan, ofzo?' Waarop de bejaarde zegt: 'Nee, maar ik heb vroeger eens seks gehad met een kip en nu zit ik te kijken of jij mijn zoon bent.'

90

Petrus heeft een klusje voor de drie aannemers die toevallig tegelijkertijd bij de hemelpoort arriveren: reparaties aan de poort.

De Belgische aannemer zegt: 'Ik doe het voor 6.000 euro. Dat is 2.000 voor het materiaal, 2.000 voor de arbeid en 2.000 winst.' De Duitse aannemer zegt: 'Ik doe het voor 9.000 euro. Dat is 3.000 voor het materiaal, 3.000 voor de arbeid en 3000 winst.' De Nederlandse aannemer zegt: 'Ik doe het voor 18.000 euro.' Petrus onderbreekt hem en zegt: 'Dat is wel heel veel. Hoe kom je aan dat bedrag?' 'Heel simpel,' zegt de Nederlander. 'Dat is 6.000 voor jou, 6.000 voor mij en 6.000 voor die stomme Belg.'

91

Twee varkens staan op stal. Zegt het ene varken tegen het andere: 'Knor.' Zegt het andere varken: 'Unox.'

92

'Mag ik 18 bier?' vraagt Arend als hij na zijn verhuizing naar Antwerpen voor het eerst de kroeg op de hoek bezoekt. 'Maar ge zijt toch alleen?' vraagt de barkeeper. 'Dat wel,' zegt Arend. 'Maar op dat bordje staat 'onder de 18 wordt niet getapt'.'

93

De oppasoma hoort Hans en zijn vriendinnetje Gerda boven nogal stommelen. Ze loopt naar de trap en roept naar boven: 'Wat zijn jullie aan het doen, Hans en Gerda?' 'We spelen vadertje en moedertje,' antwoorden de twee wat lacherig. Waarop de oppasoma zegt: 'Dan is het goed. Ik dacht jullie stiekem aan het roken waren.'

94

De vrouw die bij tandarts Focko in de stoel
gemarteld wordt, gilt het uit. 'Ik krijg nog liever een
kind dan dit!' Waarop de tandarts antwoordt: 'Dat
kan ook. Even de stoel verzetten.'

95

Alexander en Ineke vieren hun 25-jarig huwelijk
met een etentje in een toprestaurant. Na enige tijd
vraagt Alexander: 'Ben je me al die 25 jaar eigenlijk
trouw gebleven. Ineke? Je mag eerlijk zijn.' Dus
Ineke zegt: 'Nou, weet je nog die ene keer dat je
niet bij de tandarts terecht kon en toen opeens toch
wel?' 'Aha,' zegt Alexander. 'Jouw werk. En verder
niet?' 'Nou, weet je nog toen we naar Wageningen
verhuisden en de bank eerst moeilijk deed en toen
toch niet?' 'Ook jouw werk,' concludeert Alexander.
'Dat was het, neem ik aan?' 'Nou,' zegt Ineke.
'Dacht jij werkelijk dat je op eigen kracht lijsttrekker
bent geworden?'

96

De ober in het Chinese restaurant vraagt zijn collega: 'Vool wie is die loempia?' Waarop de collega zegt: 'Vool die meneel met die blonde snol.'

97

Patty Brard loopt door de Kalverstraat en ziet opeens een lamp liggen. Ze raapt 'm op en er komt een geest uit, die haar zegt dat ze drie wensen mag doen. Patty 'denkt' even na en zegt: 'Ik wil graag een fles van de beste wijn die nooit opgaat, en een glas.' De geest regelt het en Patty geniet. Na een tijdje zegt de geest: 'Je mocht drie wensen.' Waarop Patty zegt: 'Doe dan nog maar zo'n fles.'

98

De man die na een zwaar auto-ongeluk in het ziekenhuis ligt, drukt in paniek op de rode knop naast zijn bed, omdat zijn buurman rochelend ligt dood te gaan. De zuster komt aangesneld en hij zegt: 'Zuster, moet die man naast me niet naar de sterfkamer?' Waarop de zuster zegt: 'Geen zorgen, daar ligt ie.'

99

Jeroen loopt door de gangen van het gesticht met een afwasborstel aan een touwtje achter zich aan. De psychiater die hem op de gang tegenkomt zegt: 'Hoi Jeroen, alles goed met je hondje?' Waarop Jeroen zegt: 'Maar dat is helemaal geen hondje! Dat is een afwasborstel aan een touwtje.' De psychiater loopt tevreden door; de patiënt toont eindelijk progressie. Waarop Jeroen zich omdraait naar de afwasborstel en zegt: 'Zo, die hebben we mooi tuk, Wodan!'

100

Het meisje komt wat besmuikt bij meneer pastoor. 'Wat is er, mijn kind?' 'Ik heb een ernstige zonde begaan, meneer pastoor.' 'Wat dan, mijn kind?' 'Ik ben naakt voor de spiegel gaan staan en vond mezelf toch wel erg mooi.' 'Oh, maar dat is geen zonde, mijn kind. Dat is alleen maar een vergissing.'

101

Wat is leuker, heen met je auto naar Amsterdam of terug? Heen, want op de terugweg heb je een kapot ruitje.

102

Een Belg stond in een belachelijk snel tempo zijn schuur te schilderen. Zijn buurman keek het hoofdschuddend aan en vroeg: 'Waarom schildert u zo snel, buurman?' Waarop de Belg zei: 'Ik wil klaar zijn voor de pot leeg is.'

103

De thuishulp was voor het eerst bij mevrouw Jansen. Eerst waste ze de armen van mevrouw Jansen. Daarna vroeg ze: 'Zullen we nu met de benen verdergaan?' 'Graag.' Tenslotte vroeg ze: 'En zal ik ook de 'brievenbus' even wassen?' Waarop mevrouw Jansen antwoordde: 'Nee, laat maar. Ik heb al dertig jaar geen post gehad.'

104

Op de Schotse begraafplaats ziet een Belg een
grafsteen met daarop de tekst: 'Hier rust Ron
McLaughin, een milddadig mens en een goede
vader.' 'Typisch Schots,' zegt de Belg. 'Drie mannen
in één graf.'

105

De man met het nieuwe hart herstelt zo te zien
goed. Toch vraagt de chirurg nog even aan de
verpleegster wat zij ervan vindt. 'Het gaat goed.
Meneer Dibi heeft me zelfs al een paar keer ten
huwelijk gevraagd.' Waarop de chirurg antwoordt:
'Mooi. Zijn hart is klaar, nu de hersens nog
vervangen.'

106

De non die op weg is naar het klooster, ziet opeens een naakte man uit een bosje springen. 'Noem de naam van een popgroep of ik verkracht je!' De non antwoordt meteen: 'Doe Maar!'

107

Carel zat in de kroeg. 'Mag ik vier bier en twee witte wijn voor het gezeik begint.' De barkeeper zette ze neer. Daarna bestelde Carel hetzelfde. 'Vier bier en twee witte wijn voor het gezeik begint, alsjeblieft.' En nog eens: 'Doe nog vier bier en twee witte wijn voor het gezeik begint.' Waarop de barkeeper vraagt: 'Voor we verdergaan, heeft u wel geld mee?' 'Zie je wel,' zegt Carel, 'daar begint het gezeik al.'

108

Sanne zegt tegen Jeroen: 'Later als ik groot ben, ga ik met je trouwen.' Waarop Jeroen zegt: 'Dat wordt lastig, want wij trouwen binnen de familie. Mijn opa met mijn oma, mijn oom met mijn tante en mijn vader met mijn moeder.'

109

Een vrachtwagenchauffeur besluit te gaan eten
in een truckerscafé. Boven de ingang hangt
een bordje 'verboden voor nerds'. De mevrouw
achter de bar vraagt: 'U bent toch geen nerd?'
'Nee,' zegt de vrachtwagenchauffeur, 'ik ben
vrachtwagenchauffeur.' Even later komt er een
puisterige gast met een stomme bril en een stinkend
T-shirt binnen. De mevrouw achter de bar pakt een
geweer en schiet 'm dood. De chauffeur schrikt en
vraagt: 'Wat doet u nou toch, mevrouw?' 'Dat mag
hier,' antwoordt ze.

Na een uurtje gaat de vrachtwagenchauffeur weer
op pad met zijn vrachtwagen vol laptops. Even
buiten de stad wordt de weg nogal hobbelig en
gaat zijn achterklep open. In zijn spiegel ziet hij
tientallen nerds achter de vrachtwagen aanrennen.
Hij bedenkt zich geen moment, pakt zijn geweer en
schiet ze allemaal dood. Dan arriveert de politie en
die arresteert hem. 'Maar je mag nerds hier toch
neerschieten?' vraagt hij. 'Dat wel,' zegt de agent,
'maar niet met aas.'

110

Anton en Coen zitten aan de bar. Vraagt Anton aan Coen: 'Biertje, Coen?' Waarop Coen antwoordt: 'Je vraagt aan een paard toch ook niet of ie hooi lust?'

111

Waar moet je op slaan als je aan het knokken bent met een Marokkaantje? Zijn mobieltje, zodat ie zijn vriendjes niet kan bellen.

112

Dirk en Patrick staan in de kledingwinkel. Dirk koopt zeven onderbroeken. Vraagt Patrick: 'Waarom zeven, Dirk?' 'Nou, voor elke dag van de week één natuurlijk. Maandag, dinsdag, woensdag, enzovoort. Maar waarom koop jij er twaalf?' Waarop Patrick antwoordt: 'Januari, februari, maart...'

113

Rutger wil zich laten ombouwen tot vrouw. Bij de eerste operatie zijn al zijn mannelijke 'elementen' verwijderd. Bij de tweede zijn alle vrouwelijke 'elementen' aangebracht. Op bezoek bij de chirurg zegt Rutger een maand na de tweede operatie: 'Dokter, ik ben zeer tevreden. Dank u wel voor alles!' Waarop de chirurg zegt: 'Maar meneer, u wacht nog een derde operatie.' 'Waarvoor dat dan, dokter?' 'We moeten nog een deel van uw hersenen verwijderen en een gat in uw hand maken.'

114

Een wat dommige opa loopt met zijn kleinzoon langs de rivier. De jongen ziet een boot en vraagt zijn opa: 'Wat is dat, opa?' 'Een boot, jongen.' 'En hoe spel je dat?' Dus opa zegt: 'B, O, O, T.' Even later ziet de jongen weer een boot. 'En dat, opa?' 'Ook een boot, jongen.' 'En hoe spel je dat?' 'Hetzelfde. B, O, O, T.' Plotseling ziet het ventje een Hoovercraft. 'Wat is dat, opa?' 'Een Hoovercraft, jongen.' 'En hoe spel je dat, opa?' 'O nee, het is toch een boot.'

115

Drie mannen zitten langs de waterkant met hun hengel. Zegt de ene: 'Wat moet je er toch veel voor over hebben om te mogen gaan vissen van je vrouw. Ik heb eerst het hele huis gezogen.' De tweede: 'Nou! Ik heb twee uur staan strijken voor ik weg kon.' Waarop de derde zegt: 'Echt? Ik vroeg of mijn vrouw zin had in seks. En toen zei ze: 'Ga jij maar vissen.'

116

De man die belt met de familie Hoekstra krijgt een jong meisje aan de lijn. 'Hallo.' 'Kan ik je vader of moeder spreken?' 'Die zijn er niet, meneer.' 'Is er dan iemand anders thuis?' 'Mijn zus, meneer.' 'Mag ik die dan even aan de lijn?' Na enige tijd is het meisje terug. 'Sorry meneer, ik krijg haar niet uit de wieg.'

117

Henk Bres stapt somber bij de dokter binnen. 'Ik voel me hondsberoerd, dokter.' Na het onderzoek is de dokter al even somber. 'Slecht nieuws, meneer, u heeft nog maar maximaal een maand te leven.' Waarop Henk Bres zegt: 'Mag ik een second opinion vragen?' En de dokter zegt: 'Natuurlijk. U bent ook nog lelijk als de nacht.'

118

Gordon komt bij de huisarts en zegt: 'Dokter, ik heb een raar groen pitje in mijn kont.' De dokter kijkt en inderdaad: een raar groen pitje. 'Ik geef je wel een laxeermiddel.' De volgende dag zit Gordon er weer. 'Nog steeds dat groene pitje, dokter.' De dokter heeft geen zin om Gordon nog eens te zien, dus die zegt: 'Ik pak wel even een pincet.' Hij trekt aan het groene pitje en vervolgens komt er een complete roos uit de kont van Gordon. De dokter kijkt verbaasd naar Gordon. Die zegt: 'Voor jou, dokter...'

119

Komt een man bij de dokter die klaagt over een tintelend gevoel in zijn penis tijdens het plassen. De dokter laat de man in een potje plassen, onderzoekt de inhoud en zegt: 'Een wonder, meneer, u plast champagne!' De man komt thuis en zegt tegen zijn vrouw: 'Schat, pak snel een glas, ik schijn champagne te pissen.' Zijn vrouw komt snel aanlopen met twee glazen. En dan zegt hij: 'Waarom nou twee glazen?' Waarop zij zegt: 'Een voor jou en een voor mij natuurlijk.' De man: 'Nee hoor, schat. Drink jij maar uit de fles.'

120

Als een vliegtuig neerstort in Afrika, blijkt de zanger van De Dijk de enige overlevende. Hij loopt richting een dorp als er opeens een leeuw voor hem staat. Hij begint te zingen en de leeuw loopt heel hard weg. Even later doemt er weer een leeuw op. Weer begint hij te zingen en weer loopt de leeuw razendsnel weg. Weer even later: een derde leeuw. Hij begint weer te zingen en... de leeuw vreet hem met huid en haar op. Twee apen hebben het allemaal vanuit een boom zien gebeuren. Zegt de ene aap tegen de andere: 'Ik zei het toch: als die dove leeuw komt, is ie weg.'

121

Mans komt huilend de keuken in. 'Mama! Mama! Papa heeft met de hamer op zijn duim geslagen!' Waarop zijn moeder zegt: 'Maar dan hoef jij toch niet te gaan huilen, Mans?' En Mans weer: 'Nee, eerst moest ik ook lachen...'

122

Wat zet de fabrikant van de morning after pil speciaal voor de Belgische markt op de bijsluiter? Neuken voor gebruik.

123

Gerrit vraagt aan zijn vader: 'Papa, waarom ben je eigenlijk met mama getrouwd?' Waarop zijn vader zegt: 'Zie je wel, Haitske, zelfs ons zoontje begrijpt het niet!'

124

Winston, Clarence en Wesley komen in hun grote BMW bij de Russische grens en blijken hun paspoort vergeten te zijn. De douanier zegt: 'Ik ben in een goede bui. Als jullie penissen bij elkaar 60 centimeter zijn, mogen jullie door.' Winston haalt precies de 30 centimeter. Clarence komt tot 29 centimeter. Daarna is het de beurt aan Wesley. En wat denk je? Precies één centimeter. Eenmaal in de auto zegt Wesley tegen zijn maten: 'Ik ben blij dat ik tijdens het meten net aan Yolanthe dacht, anders had ik het niet gehaald.'

125

Een Belg, een Nederlander en een Duitser worden gegijzeld. De gijzelnemer zegt: 'Jullie krijgen alle drie straks tien zweepslagen, maar jullie mogen eerst nog een wens doen.' De Belg zegt: 'Ik wil een kussen op mijn rug.' Zo geschiedt. Daarna is de Duitser. 'Ik wil een dekbek op mijn rug.' Ook dat gebeurt. En dan is het de beurt aan de Nederlander. 'Wat wil jij?' vraagt de gijzelnemer. 'Doe mij die Duitser op mijn rug.'

126

Een mevrouw uit Urk komt wat beschaamd bij de huisarts. 'Wat scheelt eraan?' vraagt de huisarts. 'Ik heb allemaal groene vlekken aan de binnenkant van mijn benen,' zegt de vrouw. De dokter kijkt en zegt dan: 'Niets ernstigs hoor, mevrouw. Maar zeg even tegen uw man dat ie voortaan beter echt gouden oorbellen in kan doen.'

127

Een pastoor die op weg naar het klooster twee nonnen achter een kinderwagen tegenkomt, wil toch even weten hoe het zit. 'Een kloostergeheimpje, dames?' vraagt hij. 'Nee,' zegt de ene non. 'Een kardinale fout.'

128

Als de Belgen eindelijk ook een raket lanceren, vraagt de verslaggever van de BRT waar de reis heengaat. 'Naar de zon,' antwoordt de astronaut. 'Maar daar is het toch veel te heet?' vraagt de verslaggever verbaasd. 'We zijn niet gek,' reageert de astronaut. 'We gaan natuurlijk niet overdag, maar 's nachts!'

129

Een man rijdt iets te snel over de snelweg. Een politie-Porsche volgt hem en tot hun verbazing zien de agenten dat hij gas geeft zodra hij hen in zijn achteruitkijkspiegel ziet. Het wordt 150, 160, 170, 180 en als ze hem uiteindelijk aanhouden, is zijn hoogst gemeten snelheid meer dan 200. 'Waarom rijdt u in hemelsnaam zo hard?' vraagt de agent de man. Waarop hij zegt: 'Vorige week is mijn vrouw ervandoor gegaan met een politieman. Ik was doodsbang dat jullie haar kwamen terugbrengen.'

130

Een oud vrouwtje ziet op straat een rij hoertjes in de rij staan, met daarvoor een paar politieagenten. Ze is nieuwsgierig, dus ze vraagt aan een van de hoertjes wat er precies aan de hand is. Het hoertje heeft geen zin in de vraag en antwoordt: 'We krijgen allemaal een lolly, mevrouw.' Het oude vrouwtje is gek op lolly's, dus ze sluit achter in de rij aan. Als ze eindelijk aan de beurt is voor haar bekeuring, kijkt de dienstdoende agent haar wat meewarig aan. 'Wat doet u nou in deze rij, mevrouw? Bent u hier niet wat te oud voor?' Waarop zij zegt: 'Ik zal je zeggen, jongeman: zolang ze gemaakt worden, zuig ik er op.'

131

Drie vrouwen komen starnakel dronken de voetbalkantine uit. Op weg naar de parkeerplaats struikelen ze over een dronken man. De eerste vrouw voelt aan zijn neus en zegt: 'Nou, het is mijn Nerus niet, die heeft een veel grotere neus.' De tweede voelt aan zijn oren en zegt: 'Het is ook mijn Martin niet, die heeft veel grotere oren.' De derde voelt hem in zijn kruis en zegt: 'Het is niemand van onze voetbalclub.'

132

Lopen een brunette en een blondje over straat. De brunette zegt: 'Kijk, een dood vogeltje.' Het blondje kijkt omhoog en zegt: 'Waar dan?'

133

Drie stotteraars zitten in een café. Zegt de één tegen de anderen: 'W-w-wie k-k-kan b-b-bestellen z-z-zonder t-t-te s-s-stotteren h-h-hoeft n-n-niet t-t-te b-b-betalen, d-d-degene d-d-die w-w-wel s-s-stottert b-b-betaalt!' De serveerster komt aanlopen en vraagt aan de eerste wat hij wil drinken. 'Cola.' De tweede: 'Sinas.' En dan is de derde. 'Koffie.' Waarop de serveerster vraagt: 'Gewone koffie of bedoelt u cappuccino?' Waarop de stotteraar antwoordt: 'R-r-rotwijf!'

134

Kees zit bij de Chinees. Op de kaart staat 'bami normaal' en 'bami speciaal'. 'Wat is het verschil?' vraagt Kees. De Chinees zegt: 'Speciaal is extla lekkel, met foe yong hai en cado cado.' Toch zegt Kees: 'Doe maar normaal.' Waarop de Chinees zegt: 'Doe zelf nolmaal!'

135

Toen Truusje 's nachts wakker schrok, hoorde ze
haar moeder in de slaapkamer ernaast praten.
Ze liep naar de deur van haar moeder en zag
door het sleutelgat haar moeder, die naakt op
bed lag, zeggen: 'Ik wil een man, ik wil een
man...' De volgende dag gebeurde het weer en de
daaropvolgende dag weer. En zie: twee weken later
stelde haar moeder haar nieuwe vriend aan Truusje
voor.

Die avond besloot Truusje niet te gaan slapen. Ze
ging naakt op bed liggen en zei: 'Ik wil een iPad, ik
wil een iPad...'

136

Een vrouw komt met haar twaalf kinderen bij
meneer pastoor. De pastoor vraagt de kinderen één
voor één hoe ze heten. En allemaal zeggen ze: 'Ad'.
Later spreekt de pastoor de vrouw aan. 'Waarom
heten al je kinderen Ad, m'n kind?' De vrouw zegt:
'Dat is lekker makkelijk, meneer pastoor. Als ze
moeten opstaan, roep ik 'Ad, opstaan!' en dan staan
ze allemaal op.' 'Maar als je één iemand nodig hebt,
wat doe je dan,' vroeg de pastoor. 'Nou,' zei de
vrouw, 'dan noem ik ook hun achternaam.'

137

Youri van Gelder komt de kroeg binnen en maakt
een salto voor hij gaat zitten. De kroegbaas vraagt
waar hij dat geleerd heeft. 'Op de turnvereniging,'
zegt Youri. Daarna komt Adriaan (van Bassie)
binnen en die maakt een dubbele salto voor hij gaat
zitten. De kroegbaas vraagt ook hem waar hij dat
geleerd heeft. 'Acrobaat,' zegt Adriaan. Dan komt
een oud baasje de kroeg in. Hij maakt een flikflak,
een driedubbele salto en een schroef en belandt
zelfs meteen op de barkruk. 'Ook een turner?' vraagt
de kroegbaas. 'Nee, ik struikelde over de drempel.'

138

De man in het ziekenhuis krijgt van de dokter te
horen dat hij niet lang meer te leven heeft. De man
is opstandig en zegt: 'Nee dokter, ik weiger dood te
gaan!' Waarop zijn vrouw zegt: 'Luister nou maar
naar de dokter, Henk, die weet het heus beter.'

139

Kim Holland loopt wat verdwaasd door de Aldi met een komkommer in haar hand. Op een gegeven moment kan een jongen van de groenteafdeling het niet meer aanzien en hij vraagt: 'Zoekt u soms de kassa, mevrouw?' Waarop Kim zegt: 'Nee, het pashokje.'

140

Peter meldt zich bij de dokter en zegt: 'Dokter, ik wil me graag laten castreren.' De dokter raadt hem dat af, wegens pijnlijk en definitief enzo, maar Peter houdt vol. 'Mijn vriend liet het ook doen en die heeft sindsdien veel succes bij de vrouwtjes.' Enfin, de dokter doet het en Peter gaat naar huis. Een week later komt Peter in de stad die vriend tegen. Die vraagt: 'En, Peter, heb je je nog laten tatoeëren?' Waarop Peter zegt: 'Jij altijd met je moeilijke woorden!'

141

Bram B. Bot zat laatst in de kroeg en toen kwam er een prachtige vrouw naast hem zitten. Hij vroeg haar: 'Wat is er nou voor nodig om met een vrouw als jij te trouwen?' 'Nou,' zei de vrouw, 'een gigantisch huis met een zwemvijver, een Porsche en een piemel van 20 centimeter.' Waarop Bram zei: 'Dat huis en die Porsche is geen probleem, maar ik ga geen stuk van mijn piemel af laten halen.'

142

Komt een ernstig zieke man bij de dokter. 'Neemt u maar veel modderbaden, meneer,' zegt de dokter. 'Waar helpt dat dan tegen?' vraagt de man. 'Nergens tegen, maar dan kunt u alvast aan de grond wennen.'

143

In een volle bar stapt Roland op een bloedmooie vrouw af en vraagt of ze wat wil drinken. De vrouw kijkt 'm spottend aan en schreeuwt keihard: 'Wat, wil je mij in mijn kont neuken?' De hele kroeg lacht Roland uit en beschaamd gaat hij terug naar zijn plek. Even later komt de vrouw op 'm af en zegt: 'Sorry, ik ben een studente psychologie en ik wilde kijken hoe er gereageerd zou worden. Maar eh... dat drankje sla ik niet af.' Waarop Roland schreeuwt: 'Wát? Honderd euro maar???'

144

Een Vlaming meldt zich op het kantoor van het Guiness Book of Records. 'Ik heb zojuist een puzzel van 3.000 stukskes opgelost in een jaar, drie maanden en twee dagen,' zegt hij. De man van het recordboek kijkt hem meewarig aan. 'Maar da's toch niets bijzonders, meneer?' 'Welzeker,' zegt de Vlaming. 'Kijk maar! Op de deksel staat: 6-12 jaar.'

145

Willem-Alexander komt op bezoek op de basisschool. De juf instrueert de kinderen eerst goed.

'Ik wil dat jullie je heel netjes gedragen. Als je moet plassen, steek je één vinger op en als je moet poepen, steek je twee vingers op.' Enfin, de prins arriveert en dan vraagt de juf aan Jantje: 'Jantje, hoeveel is één plus één?' Willem-Alexander wil helpen en steekt twee vingers in de lucht. Waarop Jantje uitroept: 'Juf, die kerel moet schijten!'

146

Er komt opeens een man afgelopen op de Belg die voor het Witte Huis in Washington staat. De man doet zijn jas open en zegt: 'FBI.' Waarop de Belg ook zijn jas opent en zegt: 'Zuiver scheerwol.'

147

Een op het oog gezond stelletje komt bij de dokter met een vreemde klacht. 'Het lukt niet om 'het' bij ons thuis te doen,' zegt de vrouw. Waarop de dokter antwoordt: 'Kleed jullie maar uit dan.' De dokter ziet geen afwijkingen en zegt: 'Probeer het eens in het hokje hiernaast dan.' Zo gezegd zo gedaan. Twee uur later komen ze allebei met het stoom om de oren naar buiten. 'Gelukt!'

Een week later melden ze zich weer. 'Het lukt weer niet om 'het' thuis te doen,' zegt hij nu. Zelfde ritueel. Uitkleden, onderzoek, hokje ernaast. En twee uur later: 'Gelukt!'

De dokter vangt ze op en vraagt de man: 'Hoe kan het nou dat het thuis niet lukt en hier wel?' 'Nou,' zegt de man, 'haar man is thuis, mijn vrouw is thuis, een hotel kost 100 euro en bij u betaalt de verzekering het.'

148

Frans komt bij de pastoor om te biechten. 'Ik heb
een zonde begaan, meneer pastoor. Ik heb een
meisje mee naar huis genomen.' 'Maar dat is toch
geen zonde, mijn kind?' 'Nee, maar daarna zijn we
naar mijn slaapkamer gegaan.' 'Dat is nog geen
zonde.' 'En daarna hebben we ons uitgekleed en zijn
op mijn bed gaan liggen.' 'Dat is toch nog steeds
geen zonde.' 'En toen kwam mijn moeder binnen!'
'Da's zonde!'

149

Michael Jackson komt na de geboorte van zijn
zoon op de gang de gynaecoloog tegen en vraagt:
'Wanneer kunnen we seks hebben?' Waarop de arts
zegt: 'Meneer Jackson, het kind kan nog niet eens
lopen!'

150

De juf besloot de kinderen in haar klas te vragen
om raadsels te doen. Allemaal heel onschuldig, tot
Dirkie opeens zei: 'Ik steek het er droog en stijf in
en haal het er nat en slap weer uit. Rara wat is het?'
Juf kreeg een kop en zei: 'Ik kom vanavond bij je
thuis met je ouders praten.' Dirkie vertelde thuis wat
er was gebeurd en zijn vader vroeg: 'Maar wat was
het dan?' 'Nou,' zei Dirkie, 'een stuk speculaas dat
ik in de warme chocolademelk doop.' Vader belde
de juf en die liet een bezoek achterwege, nu het
misverstand uit de wereld was.

De week daarop deed de juf weer raadsels. En ja,
hoor, daar kwam Dirkie weer. 'Ik steek het er droog
en stijf in en haal het er nat en slap weer uit. Rara
wat is het?' De juf meteen: 'Een stuk speculaas dat
je in warme chocolademelk doopt, Dirkie.' Waarop
Dirkie zegt: 'Fout juf. Het is wat u vorige week
dacht.'

151

Drie soldaten dienen zich te melden bij de generaal.
Tegen de eerste soldaat zegt de generaal: 'Zie je iets
aan mij?' 'U heeft geen oren, generaal.' 'Drie dagen
cel,' schreeuwt de generaal. Nummer twee: 'U heeft
inderdaad geen oren, generaal.' 'Ook drie dagen
cel!' En dan is nummer drie aan de beurt. 'En wat
zie jij aan mij, soldaat?' 'U draagt lenzen, generaal.'
'Uitstekend, soldaat. Hoe weet je dat?' 'Nou, als u
oren had, droeg u wel een bril.'

152

Een vrouw ligt na een wilde avond in de hotelbar
in bed met een man en zegt: 'Ik doe dit tegen de
wil van de dokter.' Waarop de man vraagt: 'Hoezo,
ben je ziek dan?' Waarop zij zegt: 'Nee, mijn man is
dokter.'

153

Een Nederlander vraagt aan een Duitser: 'Weet jij hoeveel een Duitser gemiddeld weegt?' De Duitster denkt even na en zegt: 'Een kilo of 80.' 'Niet alleen de kop, ik bedoel het hele lichaam.'

154

Twee werknemers van Philips, een Belg en een Nederlander, zijn helemaal gek geworden van hun baas. De Nederlander stapt op zijn baas af, plast over hem heen, gooit een kop koffie in zijn gezicht, geeft 'm een elleboogstoot en zegt: 'Zo, ik kom hier nooit meer!' De Belg hoort het verhaal aan en zegt: 'Ik ga morgen ook.' De volgende dag gaat de Belg naar de directeur, plast over hem heen, gooit een kop koffie over zijn gezicht, geeft 'm een elleboogstoot en zegt: 'Zo, vanaf nu werk ik halve dagen!'

155

Als Peter voor het eerst bij opa in het bejaardenhuis komt, roept opeens een bejaarde door de recreatieruimte: '12!'. Alle bejaarden beginnen te lachen. Daarna roept een andere bejaarde: '37!' En weer ligt de hele club in een deuk. Peter vraagt opa waarom ze lachen en die legt uit: 'We hebben alle moppen genummerd, dan hoeven we ze niet steeds te vertellen.' Peter zegt: 'Aha, dat kan ik ook, opa.' En hij roept keihard: '87!' Doodse stilte. 'Waarop lachen ze niet, opa?' vraagt Peter. 'Deze kennen we nog niet, knul.'

156

Rienk is bezig met zijn huiswerk en vraagt zijn vader om hulp. 'Papa, wat is het verschil tussen "in principe" en "in feite"?' Vader denkt na en zegt: 'Vraag je moeder maar of ze voor 1 miljoen euro met de melkboer naar bed zou gaan.' Rienk komt even later terug en zegt: 'Ja, dat doet ze.' 'Mooi, en vraag het ook eens aan je zus.' Rienk doet het en meldt: 'Ja, ook zij.' 'Nou,' zegt vader, 'dan kan ik je het verschil uitleggen. In principe zijn we nu miljonair. Maar in feite hebben we hier twee hoeren rondlopen.'

157

Wat is het vriendelijkste volk op aarde? De scootermarokkanen. Ze komen met tien man om je heen staan en vragen je of je een probleem hebt.

158

Wesley Sneijder komt bij de dokter en zegt: 'Dokter, ik heb een probleem. Maar ik wil echt niet dat u me uitlacht als ik het laat zien.' De dokter belooft het en Wesley laat zijn broek zakken. Waarop de dokter keihard begint te lachen. Zo'n klein piemeltje heeft hij in zijn hele loopbaan namelijk nog nooit gezien. Na een minuut of drie is de dokter uitgelachen en hij vraagt: 'Wat is precies het probleem, meneer Sneijder?' Waarop Wesley zegt: 'Hij blijft stijf, dokter.'

159

Bram Moszkowicz verlaat 's ochtends zijn huis en ziet dat er een grote deuk in zijn auto zit. Gelukkig zit er onder de ruitenwisser wel een briefje. Hij pakt het en begint te lezen: 'Beste eigenaar. Terwijl ik dit schrijf, staan er in deze straat meer dan tien mensen naar me te kijken, onder wie enkele van uw cliënten. Ze denken natuurlijk dat ik mijn naam, adres en telefoonnummer aan het opschrijven ben. Dat is niet zo.'

160

Als een echtpaar op bezoek is in Jeruzalem, sterft de vrouw plotseling. De begrafenisondernemer zegt de man dat hij twee dingen kan doen: 'Voor 5.000 dollar kunnen we het lijk naar Nederland transporteren, voor 100 dollar stoppen we haar hier in de heilige grond.' De man denkt even na en zegt: 'Naar Nederland, alstublieft.' De begrafenisondernemer kijkt 'm verbaasd aan en zegt: 'Maar dit is heilige grond en u bespaart 4.900 dollar.' Waarop de man zegt: 'Kan wel wezen, maar jaren geleden is hier ook een man begraven en die stond drie dagen later weer op. Dat risico wou ik maar niet nemen.'

161

Een man zit in de kroeg op zijn gemak een paar biertjes te drinken als hij opeens zijn glazen oog uit zijn kas haalt. Hij gooit het tegen het plafond, waarna het via het raam en de vloer weer in zijn hand valt en hij het terug stopt. Na een uur: precies hetzelfde ritueel. De barman wil na die tweede keer toch wel even weten wat de man nou precies deed en waarom. Waarop de man zegt: 'Mijn fiets staat onder dat raam, even kijken of ie niet gejat is!'

162

Een aap stapt een café binnen en bestelt een biertje. De barkeeper denkt: domme aap. Dus die zegt: 'Da's dan 50 euro.' Tweede biertje: weer 50 euro. Derde, vierde en vijfde ook. Nadat de aap aldus 250 euro heeft afgetikt, besluit hij op te stappen. De barkeeper voelt zich toch wat schuldig en besluit alsnog een praatje te maken. 'Goh, gebeurt niet vaak dat hier een aap in de kroeg komt,' zegt hij. Waarop de aap zegt: 'Vind je het gek als je 50 euro voor een biertje moet betalen.'

163

Zit een Duitser in een Amsterdams café. 'Goh, wat is het stil vandaag,' zegt hij. 'Klopt,' zegt de barkeeper, 'het is vandaag 4 mei. Dan herdenken wij de honderdduizenden Nederlanders die tijdens de Tweede Wereldoorlog zijn vermoord.' 'Honderdduizenden?' vraagt de Duitser. 'Man, bij ons zijn er miljoenen gevallen!' 'Klopt,' zegt de barkeeper. 'Dat vieren wij morgen.'

164

Twee Belgen staan bij de pinautomaat. Zegt de ene Belg: 'Ik heb een nieuwe pincode, 3333.' Zegt de andere: 'Sukkel, nu weet ik 'm ook.' 'Nee hoor, ik zei 'm in de verkeerde volgorde.'

165

Rolf wil zijn vrouw bewijzen hoeveel hij van haar houdt. Hij zwemt door de Nijl, wándelt Route 66 en fietst van Amsterdam naar het uiterste oosten van China. Toch wil zijn vrouw van hem scheiden. Als Rolf vraagt waarom, zegt ze: 'Je bent nooit thuis.'

166

Als de plaatselijke postbode met pensioen gaat, heeft zijn baas een week voor zijn laatste ronde een briefje rondgestuurd. Dus overal waar de postbode op zijn laatste werkdag komt, krijgt hij iets toegestopt, variërend van een fles wijn tot een envelop met geld. Tot hij bij het laatste huis komt. Daar sleept de vrouw des huizes hem mee naar boven voor een potje seks en een euro. De postbode snapt er niets van en vraagt: 'Waarom krijg ik een euro, vrouw Fernans?' Waarop zij zegt: 'Moest van mijn man. Die zei: 'Fuck de postbode, geef 'm een euro.'

167

Meneer pastoor ontdekt dat de vrijgezelle Ineke zwanger van 'm is geworden. Hij roept haar bij zich en zegt dat ze moet verhuizen naar een ander dorp en dat hij tot de kleine 18 is, geld zal overmaken voor haar en haar kind.

Een maand voor de kleine 18 is, zegt meneer Pastoor tegen de koster: 'Zeg tegen Ineke dat dit de laatste betaling is en let goed op haar gezicht. Dan kun je zien of ze blij of verdrietig is.' Bij Ineke aangekomen, vertelt de koster dat hij de laatste betaling persoonlijk komt brengen en daarna blijft hij haar aankijken. 'Waarom kijk je me zo aan?' vraagt Ineke. 'Dat moet van meneer pastoor. Die wil zien of je gelukkig of verdrietig bent.' 'Goed,' zegt Ineke, 'vertel meneer pastoor maar dat ik na twee maanden abortus heb laten plegen en dat ik toch heel blij was met zijn geld. En let dan goed op zijn gezicht om te zien of ie blij of verdrietig is.'

168

Henk dronk de ene avond rum-cola, de volgende avond cola-tic en de derde avond gin-cola. De vierde avond kwam hij weer in de kroeg en zei: 'Ik zweer dat ik nooit meer cola drink. Allemachtig, wat word je dronken van dat spul.'

169

Ruud vraagt zijn vader op een avond: 'Papa, waar kom ik vandaan?' 'Van de ooievaar, Ruud,' antwoordt vader. Waarop Ruud zegt: 'Van de ooievaar? Er lopen duizenden lekkere wijven rond en jij neukt met een vogel?'

170

Een Antilliaan vraag aan de bakker om zes witte bolletjes. Zegt de bakker: 'Moet ik ze inpakken of slik je ze meteen door?'

Als een jongere collega op bezoek is bij een pastoor in Venlo, ziet hij de oude baas steeds verlekkerd naar zijn huishoudster kijken. De oude pastoor ziet de jongere wel kijken en zegt: 'Er speelt echt niks tussen ons, hoor.' Een week later zegt de huishoudster dat er een vork ontbreekt in de bestekset. De oude pastoor belt naar de jongere en vraagt: 'Ik beschuldig niemand, maar heb je 'm of niet?' Waarop de jongere zegt: 'Als je in je eigen bed sliep, had je 'm al gevonden.'

Bram B. Bot

171

Als een jongere collega op bezoek is bij een pastoor in Venlo, ziet hij de oude baas steeds verlekkerd naar zijn huishoudster kijken. De oude pastoor ziet de jongere wel kijken en zegt: 'Er speelt echt niks tussen ons, hoor.' Een week later zegt de huishoudster dat er een vork ontbreekt in de bestekset. De oude pastoor belt naar de jongere en vraagt: 'Ik beschuldig niemand, maar heb je 'm of niet?' Waarop de jongere zegt: 'Als je in je eigen bed sliep, had je 'm al gevonden.'

172

Twee prostituees komen elkaar tegen. Vraagt de ene: 'Wat kreeg jij dit jaar van Sinterklaas?' 'Vijftig euro, net als van alle andere klanten.'

173

De meester vraagt Michiel, die op de achterste rij in de klas zit: 'Michiel, wie van jullie heeft gisteren mijn ruit ingegooid?' Michiel zegt: 'Ik hoor u niet goed, meester.' De meester gelooft het niet en zegt: 'Dat zullen we wel eens zien. Ga jij op mijn stoel zitten en ik achterin.' Zo gezegd, zo gedaan. Vervolgens vraagt Michiel: 'Meester, wie is er vannacht bij mijn moeder wezen slapen toen mijn vader de nachtdienst had?' Waarop de meester zegt: 'Je hebt gelijk, Michiel, je kunt hier achteraan niks horen.'

174

Pim vraagt de juf of hij bij haar mag slapen. Dat mag. Eenmaal in haar huis vraagt hij of hij bij haar in bed mag slapen. Mag ook. Daarna vraagt hij of hij zijn vinger in haar navel mag steken. Ook dat mag. Na een tijdje zegt de juf: 'Ja maar Pim, dat is mijn navel helemaal niet!' Waarop Pim zegt: 'Maar juf, het is ook mijn vinger niet.'

175

De politieagent vraagt een dronken man te blazen. 'Kan niet,' zegt de man, 'ik heb een longaandoening.' Dan zegt de agent dat ze de man bloed gaan afnemen. 'Kan ook niet,' zegt hij, 'ik kan niet tegen naalden.' Tenslotte zegt de agent: 'Loopt u dan maar even over de witte streep.' 'Kan ook niet,' zegt de man. 'Ziet u niet dat ik dronken ben?'

176

Piet ligt in het ziekenhuis en krijgt een kom soep te eten. Hij wil daar eigenlijk wel een droog sneetje brood bij en vraagt de zuster: 'Zuster, heeft u ook een droog sneetje?' Waarop de zuster zegt: 'Nee, mijn schoenen kraken zo.'

177

Een Belg koopt een horloge van een euro, dat na één dag al niet meer loopt. Hij maakt het horloge open en ziet tot zijn verbazing een dood vliegje tussen de radertjes zitten. 'Geen wonder dat 'ie niet loopt,' zegt hij. 'De machinist is overleden!'

178

Gerard zegt tegen zijn vriendje dat hij die nacht acht muggen heeft doodgeslagen, vier vrouwtjes en vier mannetjes. 'Hoe weet je dat het vrouwtjes en mannetjes waren?' vraagt het vriendje. 'Simpel,' zegt Gerard, 'vier hingen aan de spiegel, vier aan de tv.'

179

Marieke komt bij de dokter en zegt: 'Dokter, ik heb van die kleine borsten. Kunt u er iets aan doen?' De dokter zegt: 'U moet gewoon een paar keer per dag met een wc-papiertje tussen uw borsten wrijven.' Waarop Marieke zegt: 'Helpt dat echt?' 'Het is bij uw kont ook gelukt...'

180

Stefan kwam van rechts toen Christiaan hem
op de kruising vol in de flank raakte. 'Kom,'
zegt Christiaan, 'even in de kroeg van de schrik
bekomen.' Na een uur heeft Stefan al zes biertjes
op en Christiaan zes Spa blauw. 'Moet jij geen bier,
Christiaan?' vraagt Stefan. 'Nee hoor,' zegt die.
'Eerst even de politie bellen om de papierwinkel te
regelen.'

181

Sjef en Sjaak lopen op een oud bouwterrein en
vinden twee oude granaten. 'Die moeten meteen
naar de politie,' zegt Sjef. 'Maar is dat niet
gevaarlijk?' vraagt Sjaak. 'Als er nou eentje ontploft?'
'Dan zeggen we gewoon dat we er maar één
gevonden hebben,' antwoordt Sjef.

182

Leo komt huilend bij zijn moeder na schooltijd.
'Mama, ze zeggen op school dat ik spastisch ben!'
Waarop moeder zegt: 'Laat ze maar lullen, Leo. Doe
je voeten uit je broekzak en ga lekker buiten spelen.'

183

Soldaat Stevens vraagt zijn commandant op vrijdag
een lang weekend verlof. 'Ik ga vader worden.'
Na het weekend vraagt de commandant wat het
geworden is. 'Over negen maanden bent u de eerste
die het weet, commandant.'

184

Als Anita en Patricia elkaar na jaren weer
tegenkomen, vraagt Anita: 'Goh, Patries, wat doe jij
tegenwoordig?' 'Ik verdeel de rollen in het theater,'
antwoordt Patricia. 'Zo, dat is een moeilijke en
verantwoordelijke baan, zeg.' 'Valt wel mee, hoor.
Gewoon één rol per toilet.'

185

Twee Duitse herders zitten bij de dierenarts. Vraagt
de ene aan de andere: 'Waarom zit jij hier?' 'Nou, ik
liep over straat, aan de overkant van de straat liep
een teefje, de natuur was sterker dan ik, dus ik erop
af en nu moet ik dus gecastreerd worden.' 'Balen.'
'En jij?' vraagt de andere. 'Ik zat voor de deur van
de badkamer, mijn bazin liet haar zeepje vallen, ze
bukte om 'm op te rapen, de natuur was sterker
dan ik...' 'Aha, ook castreren dus?' 'Nee, nagels
bijknippen.'

186

Een wiskundige stuurt zijn vrouw een mail. 'Lieve
vrouw, ik hoop dat ik je niet kwets, maar ik ben nu
56 en heb bepaalde behoeftes die jij niet langer kunt
bevredigen. Verder ben ik heel gelukkig met je, maar
als je deze mail krijgt, ben ik dus met mijn 21-jarige
assistente in een hotel. Ik zal voor middernacht
thuis zijn.'

Per kerende post krijgt hij een reply. 'Lieve man, ook
ik ben 56 en als jij deze mail leest, ben ik ook in een
hotel, met onze 18-jarige poolboy. En aangezien je
goed bent in wiskunde, snap je dat 18 vaker in 56
kan dan 56 in 21. Dus je hoeft niet op te blijven als je
thuiskomt.'

187

Hendrik vraagt zijn vrouw in welke kleur ze de keuken wil. 'Rood,' zegt ze. Hij doet de keukendeur open en schreeuwt naar buiten: 'Groen boven!' Vervolgens vraagt hij zijn vrouw welke kleur de woonkamer moet worden. 'Zwart/wit,' antwoordt ze. Hij doet de deur weer open en schreeuwt weer naar buiten: 'Groen boven!' Zijn vrouw snapt 'm niet en vraagt: 'Waarom schreeuw je steeds 'groen boven' naar buiten, Hendrik?' 'Nou, er zijn twee Belgen graszoden aan het leggen.'

188

Een konijn, een eekhoorn en een schildpad zitten samen aan de bar limonade te drinken. Eigenlijk had geen van drieën veel te zeggen. Toen zei de schildpad: 'Z-a-l i-k m-i-j-n k-a-a-r-t-e-n e-v-e-n g-a-a-n h-a-l-e-n?' 'Ja, leuk! Goed idee,' riepen de twee andere vrienden. De schildpad klom langzaam van zijn kruk en ging op weg. Uren verstreken... Toen het bijna sluitingstijd was, zei de eekhoorn tegen het konijn: 'Zullen we zijn glaasje maar samen delen dan?'. Waarop ze een boze stem horen, ergens vlak bij de deur: 'A-l-s j-u-l-l-i-e d-a-t d-o-e-n, d-a-n g-a i-k m-i-j-n k-a-a-r-t-e-n N-I-E-T h-a-l-e-n!'

189

Een Belgische boer kan zijn twee paarden niet uit elkaar houden. Eerst knipt hij van de ene de manen af. Maar die groeien weer aan. Dan knipt hij van de andere de staart er af. Maar die groeit ook weer aan. Dan komt zijn vrouw met een geniale ingeving: 'Waarom meet je ze niet op, Hans?' De boer meet ze op en verdomd: het witte paard is een decimeter hoger dan het zwarte paard!

190

Marike vertelt trots op school dat ze een nieuwe papa heeft. 'En hij komt me straks ophalen na school!' Als de bel gaat, lopen alle kindjes naar buiten. 'Kijk, mijn nieuwe papa,' roept Marike. Waarop Tim zegt: 'O, die is keigaaf! Die heb ik ook gehad!'

191

Een blinde wandelt een vrouwencafé in en vraagt aan de bar: 'Wie wil een goeie mop over blondjes horen?' De vrouw naast hem zegt: 'Meneer, voor u verdergaat het volgende: de barvrouw is een blonde vrouw, de uitsmijter is een blonde vrouw, ik ben een blonde vrouw en judoka, de vrouw aan de andere kant van u is een blonde vrouw en een bokster en de vrouw achter u is een blonde vrouw met een strafblad wegens moord. Dus weet u wel zeker dat u die mop wilt vertellen?' Waarop de man zegt: 'Nee, vijf keer uitleggen wordt teveel.'

192

Een accountmanager komt bij de dokter. 'Ik ben wat moe, dokter.' 'Hoe komt dat? Heeft u nog wel seks?' 'Zeker. Elke maandag, dinsdag, woensdag, donderdag, vrijdag en zaterdag.' 'Nou, dat verklaart veel. Als je nou de dinsdag eens oversloeg?' 'Kan niet dokter. Da's de enige avond waarop ik thuis ben.'

193

Mevrouw Tichelaar is 100 geworden en de burgemeester komt op bezoek. Op een gegeven moment vraagt hij haar: 'Wat is nou in die 100 jaar de grootste verandering in uw leven geweest?' 'De dokter,' zegt mevrouw Tichelaar meteen. 'Toen ik 20 jaar was, zei de dokter: "Helemaal uitkleden en ga maar liggen." Toen ik 40 jaar was, zei de dokter: "Bloesje uit en ga maar zitten." En toen ik 80 jaar was, zei de dokter: "Steek uw tong maar uit en blijf maar staan."'

194

Wilfried is met zijn moeder uit België naar Nederland verhuisd en gaat voor het eerst naar school. Hij is nogal bang dat hij dommer is dan de andere kinderen, maar volgens zijn moeder is dat onzin. Op de eerste schooldag vraagt de juf wie het alfabet kan opzeggen. Wilfried is de eerste. Dan vraagt de juf wie tot tien kan tellen. Wilfried is weer de eerste. De volgende dag is de eerste gymles. Onder de douche ziet Wilfried dat hij ook nog een veel grotere piemel heeft dan zijn klasgenoten. Thuisgekomen, vraagt hij zijn moeder of bij de Belgen dan alles beter is. 'Nee, mijn jongen. Dat is omdat die andere kinderen 6 jaar zijn en gij al 28.'

195

Twee Russische oliemiljardairs staan met hun Rolls
voor het stoplicht. De een belt de ander op en zegt:
'Ik heb de beste stereo-installatie in mijn auto die
in de hele wereld te koop is.' Zegt de ander: 'En
daarvoor moet je mij uit mijn jacuzzi bellen?'

196

De ober die op de operatietafel ligt voor een
spoedoperatie, ziet tot zijn voldoening dat de
chirurg een vaste gast uit zijn restaurant is. 'Helpt
u me alstublieft?' vraagt hij de arts. Die kijkt 'm
arrogant aan en zegt: 'Het spijt me. Dit is helaas
mijn tafel niet. Mijn collega komt zo bij u.'

197

Gaston is in de jeugdgevangenis geplaatst omdat hij zijn buurmeisje met een katapult heeft beschoten. Als hij na een jaar eindelijk naar huis mag, vraagt de directeur wat het eerste is wat hij gaat doen. 'Een meisje zoeken, meneer!' 'Maar waarom dan?' 'Om haar broekje uit te trekken!' 'Zou je dat wel doen, Gaston?' 'Ik heb het elastiekje nodig om een nieuwe katapult te maken.'

198

Jezus staat bij Petrus aan de hemelpoort als er een man op een wolk aan komt vliegen. 'Wie bent u?' vraagt Jezus. 'Raad eens. Ik heb mijn zoon zelf geschapen, er zijn miljoenen boeken van gemaakt en die worden over de hele wereld gelezen.' 'Vader,' zegt Jezus. Waarop de man zegt: 'Pinokkio!'

199

Komt een Chinees de kroeg binnen. Achter de bar
staat een grote neger. Zegt de Chinees: 'Hé, vuile
teling nikkel, een bieltje!' Dat leek ruzie te worden,
maar de barman deed het gewoon. Tien minuten
later: 'Hé, teling nikkel, geef mij nog een bieltje!'
De barman wordt al wat kwader, maar doet het wel.
Kwartier later: zelfde verhaal. De barman is het echt
nu wel zat en zegt tegen de Chinees: 'Ga jij maar
eens achter de bar staan. Dan zal ik binnen komen
en voordoen hoe je fatsoenlijk een biertje besteld.'
Zo gezegd, zo gedaan. De grote neger komt naar
de bar en vraagt: 'Mijnheer, zou ik van u een biertje
mogen?'. Waarop de Chinees antwoordt: 'Solly, voor
nikkels geen biel.'

200

Jan komt met een dode kikker in zijn hand in een bordeel en vraagt de hoerenmadam om een meisje met een geslachtsziekte. De madam is verbaasd, maar zegt toch: 'Ik heb Simone voor je.' Na de seks vraagt de hoerenmadam: 'Maar waarom wilde je nou per se een meisje met een soa?' Waarop Jan zegt: 'Nou, als ik straks thuiskom, zit daar de oppas op me te wachten en die wil seks met mij. Als mijn vader vanavond de oppas weer naar huis brengt, hebben die twee seks op de achterbank. Als mijn vader dan weer thuiskomt, heeft hij seks met mijn moeder. En morgenochtend, als mijn vader naar zijn werk is, zal mijn moeder seks hebben met de melkboer. En kijk, die hufter moet ik hebben, want die heeft mijn kikker doodgereden!'

201

Twee blondjes zitten in een restaurant. Zegt de ene tegen de ander: 'Ik heb trouwens een zwangerschapstest gedaan.' En de andere: 'Waren de vragen moeilijk?'

202

Bij een overstroming raakt een priester ingesloten.
Gelukkig komt er een motorboot langs. De
bestuurder zegt: 'Stap in, eerwaarde.' 'Nee, God
zal mij redden!' Ook bij de tweede motorboot
weigert de priester in te stappen. En bij de derde.
Uiteindelijk verdrinkt hij. Eenmaal boven beent
hij toch een beetje boos op God af, na al die jaren
trouwe dienst. 'Waarom, oh Heilige Vader, heeft
u mij niet gered?' 'Man,' zegt God, 'ik stuurde je
verdomme drie motorboten!'

203

Een Nederlandse vrachtwagenchauffeur ziet
een Belgische collega stilstaan voor een viaduct.
'Wat scheelt eraan, kerel?' vraagt hij. 'Ik ben
precies een centimeter te hoog,' zegt de Belg.
'Nou,' zegt de Nederlander, 'dan laat je toch wat
lucht uit de banden lopen.' 'Hahaha, jij bent een
mooie,' antwoordt de Belg. 'Ik zit niet klem aan de
onderkant, maar aan de bovenkant.'

204

Komt een man de kroeg binnen en vraagt: 'Is hier een toilet?' 'Dat is verstopt,' antwoordt de barvrouw. 'Ik vind 'm wel!'

205

Drie kaboutertjes zitten zich te vervelen. Zegt de meest gebekte: 'Ik weet het, we gaan naar het Guinness Book of Records! Ik heb vast het kleinste armpje ter wereld!' 'En ik het kleinste beentje,' zegt de tweede. En de derde: 'Ik het kleinste piemeltje!'

Aangekomen op het hoofdkantoor gaat het snel. Kabouter één heeft inderdaad het kortste armpje. Kabouter twee het kortste beentje. Maar als kabouter drie de meetkamer uitkomt, kijkt hij teleurgesteld. 'Wat is er?' vraagt kabouter één. Waarop kabouter drie zegt: 'Who the fuck is Wesley Sneijder!'

206

Victor was het zo zat dat hij als Belg steeds gepest
werd op zijn werk in Noord-Brabant, dat hij besloot
het Nederlanderschap aan te vragen. Koningin
Beatrix ging akkoord, míts hij met zijn gezin de
Oosterschelde over zou zwemmen. De volgende dag
ging het gezin op pad. Eerst ging Victor. Hij haalde
het en werd Nederlander. Toen zijn vrouw. Zij haalde
het ook en werd ook Nederlander. Toen ging hun
oudste zoon. Hij had zichtbaar moeite en ging zelfs
een paar keer kopje onder. Op een gegeven moment
zei koningin Beatrix: 'Moet je je zoon niet redden,
Victor?' Waarop Victor zei: 'Nee, majesteit, laat maar
verzuipen, hoor. Het is toch maar een Belg.'

207

Komt een skelet de kroeg binnen. 'Ober, doe mij
twee bier en een dweil.'

208

Een Duitser, Nederlander en Belg moeten naar het vuurpeloton. Als de Duitser aan de beurt is, schreeuwt hij keihard: 'Leeuwen!' De schutters kijken op en de Duitser speert er vandoor. Daarna is de Nederlander. Net als de mannen de trekker willen overhalen, roept hij: 'Tijgers!' Weer kijken de schutters op – en weg is de Nederlander. Daarna is de Belg. Die denkt: wat zij kunnen, kan ik ook. Dus op het moment dat de schutters hun geweer in de aanslag hebben, schreeuwt hij keihard: 'Vuur!'

209

Bert komt met een potje urine bij de dokter. De dokter neemt een slokje en zegt: 'Meniscus links. Twee weken rust en daarna terugkomen.' Twee weken later is de pijn weg. In de kroeg vertelt Bert die avond het hele verhaal aan Simon, die last heeft van zijn pols. 'Topdokter, moet je ook heen.' Simon gelooft het niet echt, dus die denkt: ik ga die rare dokter eens in de maling nemen. Hij laat zijn vrouw in het potje plassen, zijn dochter ook en doet er van zichzelf wat sperma bij. De volgende dag zit hij bij de dokter. De dokter neemt een slokje en zegt: 'Je vrouw is zwanger, je dochter ongesteld en als je niet stopt met masturberen gaat die pols ook niet over.'

210

Als Nicole beneden komt, ziet ze haar Onno huilend in de keuken zitten. 'Wat is er, Onno?' vraagt ze. 'Weet je nog toen wij voor het eerst seks hadden en dat je vader ons toen betrapte en dat hij zei: "Of je trouwt met haar, of je gaat twintig jaar de bak in"?' 'Ja, maar wat is het probleem?' 'Vandaag zou ik zijn vrijgekomen.'

211

Een alcoholist komt een bar binnen en bestelt een borrel. Hij kijkt in zijn binnenzak en bestelt nog een borrel. En hij kijkt wéér in zijn binnenzak en bestelt weer een borrel. En weer. En weer. Op een gegeven moment vraagt de barkeeper: 'Wat zit er toch in je binnenzak?' Waarop de man zegt: 'Dat is een foto van mijn vrouw. Zodra zij er goed uit begint te zien, weet ik dat het tijd is om naar huis te gaan.'

212

Komt een man bij de dokter met hoofdpijn. De
dokter geeft hem een medicijn, maar twee weken
later is ie terug. 'Dokter, ik heb nog steeds hoofdpijn
en het trekt zelfs door naar mijn rug.' De dokter
onderzoekt de man en zegt dat zijn piemel eraf
moet om het probleem te verhelpen. 'Nou, liever
koppijn dan mijn lul eraf,' antwoordt de man en hij
vertrekt weer. Drie maanden later is hij toch weer
terug. 'Haal hem er maar af!' Zo gezegd, zo gedaan.
Vervolgens gaat de man naar de Society Shop om
zichzelf te verwennen met een nieuw pak. Vraagt
de kleermaker: 'Bent u links- of rechtsdragend?'
Zegt de man: 'Dat maakt bij mij niet uit, doe maar
wat.' Waarop de kleermaker zegt: 'Nee, want als
u linksdragend bent en ik maak een pak voor
rechtsdragend, dan krijgt u hoofdpijn en die trekt
later helemaal door naar uw rug.'

213

Kees is een beetje bang dat zijn zoon Egbert homo
is. Als Egbert op een ochtend aan de ontbijttafel
vertelt dat hij de avond ervoor seks heeft gehad met
een vrouw, is Kees dan ook apetrots. Hij omhelst
Egbert en vraagt: 'En, was het een leuk meisje,
jongen?' Waarop Egbert zegt: 'Het was met oma.'
Kees ontsteekt in woede. 'Je gaat toch niet met mijn
moeder liggen neuken, gek!' Waarop Egbert zegt: 'Jij
doet het toch ook met de mijne?'

214

De agent die het domme blondje aanhoudt, weet
niet wat hij meemaakt. Als hij vraagt om haar
rijbewijs zegt ze: 'Rijbewijs? Wat is dat?' Hij legt het
uit en ze pakt het uit het dashboardkastje. Daarna
vraagt hij om het kentekenbewijs. 'Kentekenbewijs?
Wat is dat?' Zelfde verhaal. De agent denkt: dit is
mijn kans. Hij doet zijn gulp open, haalt zijn piemel
eruit en houdt 'm voor haar gezicht. 'Toch niet weer
alcoholcontrole hè,' zegt ze.

215

Phaedra komt bij de kapper. Hij vraagt hoe ze het geknipt wil hebben. 'Linkeroor vrij, rechteroor voorkant bedekt, linksboven rond, rechtsboven een driehoek en achter een beetje zoals Imca Marina.' 'Godsonmogelijk en geen gezicht,' zegt de kapper. Waarop zij antwoordt: 'Zo heb je het vorige keer anders wel gedaan.'

216

Zit een man in de kroeg. Komt er een grote uitsmijterachtige gast naast 'm zitten en die drinkt in één teug zijn biertje op. De man begint te janken. 'Kom op,' zegt de kleerkast, 'het is maar een biertje.' 'Klopt,' zegt de man, 'maar ik kwam vanochtend op mijn werk, en toen werd ik ontslagen. Ik ging naar huis: mijn vrouw weg. Ik ging naar de bank: al mijn geld weg. Dus toen besloot ik zelfmoord te plegen. Wilde ik voor de trein springen: NS-fail. Wilde ik me thuis verhangen: touw kapot. Kom ik in de kroeg, gooi ik rattengif in mijn biertje... drink jij het op...'

217

Anco zit in het café en drinkt de vijf biertjes die hij heeft besteld achter elkaar in één keer leeg. Zegt de barman: 'Waarom drink je ze zo snel leeg? Dat is toch zonde?' Vraagt Anco: 'Wat zou jij doen als je geen geld had?'

218

De vrouw die voor aan in de kerk zit, fluistert tegen haar man: 'Ik heb een klein scheetje gelaten, schat. Denk je dat de mensen het merken?' Waarop de man zegt: 'Ik zal straks thuis een nieuwe batterij in je gehoorapparaat doen.'

219

Als Louis van Gaal en de rest van zijn staf zijn
gegijzeld, wordt vanuit Amsterdam een grote
inzamelingsactie op touw gezet om het losgeld
bij elkaar te krijgen. Is dat niet binnen een week
gelukt, dan worden Louis en zijn vrienden levend
verbrand. Overal wordt gecollecteerd. Bij een Shell-
station in Rotterdam wordt een blonde vrouw in
een Ford Galaxy ook gevraagd of ze wil bijdragen.
Ze pakt haar tas en haalt er tien euro uit. Waarop
de collectant verbaast opkijkt: 'Goh, wat gek! De
meesten hier geven vijf liter euro loodvrij...'

220

Een wat smoezelige vrouw komt bij de huisarts.
'Wat is uw probleem, mevrouw Van Gent?' vraagt
de dokter. 'Nou dokter, iedereen vindt dat ik zo
enorm stink.' De dokter zegt: 'Kleed u zich achter
dat gordijntje maar even uit dan.' Even later ziet
de vrouw een stok met een haak eraan boven haar
hoofd. 'Wat is dat, dokter?' vraagt ze. 'Niets,' zegt de
dokter. 'Even een raampje openzetten.'

221

Een dom blondje zit luid snikkend op een bankje in
het park. Een wat oudere man kan het niet aanzien
en legt troostend een arm om haar schouder. 'Wat
is er aan de hand, meisje?' vraagt hij. 'Mijn moeder
is vanochtend overleden, meneer.' 'Dat is heel
vervelend voor u, gecondoleerd.' 'En weet u wat het
ergste is?' vraagt ze de man. 'Nee.' 'Nu belde mijn
zus net en haar moeder is óók overleden!'

222

Een non is op weg van de bakker naar het klooster
als er opeens een man uit de bosjes springt. 'Ik
ga je verkrachten,' zegt hij. De non zet het op een
lopen en schrijft 's avonds in haar dagboek: 'Mijn
benen zijn mijn beste vrienden.' De volgende dag
gebeurt precies hetzelfde, op dezelfde plek. En weer
schrijft ze 's avonds in haar dagboek: 'Mijn benen
zijn mijn beste vrienden.' De volgende dag: zelfde
verhaal. Alleen is de man nu sneller dan de non. En
hij verkracht haar. En 's avonds schrijft ze in haar
dagboek: 'Zelfs mijn beste vrienden gaan uit elkaar.'

223

Superman heeft zin om te gaan stappen. Hij belt
de Man Van Zes Miljoen, maar die bedankt voor de
eer. Dan belt hij de Hulk. Die heeft ook al geen zin.
Dan gaat ie maar een stukje vliegen. En bij zijn eigen
huis aangekomen, ziet hij Supervrouw naakt met
haar benen wijd op bed liggen. Hij denkt: 'Ach, what
the f...', gaat naar binnen, loost in een paar tellen
zijn zaad en vliegt weer weg. 'Wat was dat?' vraagt
Supervrouw. 'Ik weet het ook niet,' zegt the Invisible
Man, 'maar ik heb wel ontzettend pijn in mijn kont.'

224

Als een auto bij de tolpoort komt, wordt ie
aangehouden door een politieman. 'Gefeliciteerd,'
zegt de agent. 'U bent de miljoenste auto hier en
krijgt 10.000 euro. Wat denkt u dat u met dat geld
gaat doen?' De chauffeur: 'Mijn rijbewijs halen.'
Waarop de vrouw naast hem zegt: 'Let maar niet op
hem, meneer agent, hij praat wartaal als ie dronken
is.' De vriend op de achterbank doet ook een duit in
het zakje: 'Ik zei toch dat we niet ver zouden komen
met een gestolen auto.' En dan horen ze plotseling
vanuit de kofferbak: 'Zijn we al over de grens?'

225

De boer vraagt zijn knecht om bij het huis even zijn kaplaarzen te gaan halen. Bij het huis aangekomen, vragen de twee boerendochters de knecht: 'Hé Gerben, wat doe jij hier?' Waarop de knecht zegt: 'Ik mocht met jullie de hooiberg in van je vader.' De meiden geloven hem niet, dus roept Gerben naar de boer: 'Moest ik er nou één of twee pakken?' En de boer antwoordt: 'Allebei natuurlijk!'

226

Een Belg staat in New York vol bewondering naar boven te kijken. Als er een New Yorker stopt, vraagt de Belg: 'Hoe heet dat nou?' 'Een wolkenkrabber,' zegt de New Yorker. Waarop de Belg vraagt: 'Hoe laat gaat ie aan?'

227

Juf vraagt in de klas aan Karel: 'Karel, een vraag. Er
zitten drie vogeltjes op een hek. Er wordt er eentje
doorgeschoten. Hoeveel vogeltjes zitten er dan nog?'
Karel antwoordt meteen: 'Nul, juffrouw. Want die
andere zijn van schrik weggevlogen.' 'Hmm,' zegt
de juf. 'Eigenlijk bedoel ik twee vogeltjes, maar je
manier van denken bevalt me wel.' 'Dan heb ik ook
een vraag aan u, juf. Er zitten drie vrouwen op een
rij met alle drie een ijsje. De een likt eraan, de ander
zuigt erop en de derde bijt erin. Welke van de drie
vrouwen is getrouwd?' De juf begint te blozen en zegt
na een tijdje: 'Die ene vrouw die erop zuigt, denk ik.'
'Hmm,' zegt Karel. 'Eigenlijk bedoel ik die ene met die
trouwring, maar uw manier van denken bevalt me wel.'

228

Dokter Jan heeft seks gehad met een van zijn
patiënten. Hij voelt zich de hele dag schuldig en
overweegt het zelfs aan zijn vrouw te vertellen. Maar
hij hoorde ook een stemmetje in zijn achterhoofd
dat zei: 'Kom op, Jan! Je bent heus niet de eerste
arts die met zijn patiënten seks heeft en je bent vast
ook niet de laatste.' Waarop een tweede stemmetje
inbrak en zei: 'Jan, je bent verdorie díerenarts...'

229

Het hoogbejaarde echtpaar dat heeft gewandeld op de Grebbeberg, zijgt neer bij een restaurant. Toen de ober kwam, zei de vrouw: 'Mijn man heeft hier in de oorlog nog gevochten.' De ober was onder de indruk en vertelde zijn baas het verhaal. En die zei: 'Breng ze alles wat ze willen hebben en ze mogen niets betalen!' Het echtpaar liet het zich goed smaken. Bij het weggaan draaide de man zich om en riep naar de ober: 'Danke schön!'

230

De blonde Nicky wil graag secretaresse worden bij een uitgeverij. Omdat ze niet helemaal zeker is van haar spelling, gaat ze in de bibliotheek even neuzen in 'Solliciteren voor dummies'. Ze schrijft de sollicitatiebrief daaruit over en laat 'm thuis eerst nog even aan haar man lezen voor ze 'm op de bus doet. Die zegt: 'Heb je de laatste regel ook gelezen? Daar staat: "De tekst hierboven bevat 20 fouten; haal ze eruit".'

231

Dronken man tegen vrouw in de trein: 'Wat bent u een lelijk mens, zeg!' Waarop de vrouw zegt: 'Meneer, u bent dronken.' Hij weer: 'Maar dat is morgen over!'

232

Lubbert gooit een dubbele whiskey in zijn aquarium. 'Waarom doe je dat?' vraagt zijn vrouw. Waarop Lubbert zegt: 'Ik wil ook wel eens vrolijke gezichten om me heen zien.'

233

Een man zit in de taxi op weg naar zijn werk en ziet dat de taxichauffeur te ver rijdt. Hij tikt de taxichauffeur op zijn schouder. Die schrikt zich kapot en rijdt tegen een boom. 'Wat doe jij nou!' schreeuwt de man. 'Sorry meneer, maar tot vorige week reed ik op een lijkwagen.'

234

Het blondje in de finale van een spelshow krijgt voor de hoofdprijs één laatste vraag: 'Hoeveel is 9 plus 6?' Na een lange bedenktijd zegt het blondje: 'Eh... 14?' De spelleider zegt: 'Bijna!' En alle blonde vrouwen in de zaal roepen: 'Ah... geef haar nog een kans!' De spelleider zegt: 'Oké'. Het blondje denkt weer een tijd na en roept dan: 'Ik weet het: 15!' Waarop alle blonde vrouwen in de zaal roepen: 'Geef haar nóg een kans, please...'

235

Bertus rijdt langs een weiland als zijn brommer er opeens mee ophoudt. Het witte paard zegt: 'Een vette bougie.' De man kijkt verbaasd naar het paard, maar checkt zijn bougie en zie: het klopt. Even later komt hij de eigenaar van het paard tegen en vertelt hem het hele verhaal. Zegt die boer: 'Dan had je geluk. Als mijn zwarte paard er had gestaan, was je de sigaar geweest. Die heeft alleen verstand van auto's.'

236

Bij een ramp in Marokko zijn 20.000 Marokkanen om het leven gekomen. De EU-landen besluiten te helpen. Duitsland stuurt geld. Frankrijk stuurt voedsel. En in Nederland stelt Geert Wilders voor 20.000 nieuwe Marokkanen te sturen.

237

Een man loopt met zijn totaal uitgeputte kameel door de woestijn. Gelukkig ziet hij in de verte een garage. Daar aangekomen, zet de monteur de kameel boven de put en slaat 'm met twee stenen keihard tegen zijn ballen. De kameel gaat er als een speer vandoor. Waarop de man zegt: 'Hoe haal ik die ooit weer in?' Zegt de monteur: 'Ga maar boven de put staan...'

238

Fred komt bij de dokter en zegt: 'Dokter, ik vergeet altijd alles.' De dokter antwoordt: 'Niks aan te doen, dat is dan 50 euro.' Fred kijkt 'm verbaasd aan en zegt: 'Maar u heeft helemaal niets voor me gedaan, dokter.' Waarop de dokter zegt: 'Oei, het probleem is ernstiger dan ik dacht. Komt u morgen maar weer.'

239

Een bejaarde automobilist beweert tegen zijn
kleinkinderen dat hij de eerste Nederlander was met
een stereo-installatie in zijn auto. 'U, opa?' 'Ja, oma
voorin, jullie moeder achterin.'

240

Een vader zit met zijn zoons en dochter naar een
programma van Arie Boomsma te kijken. Zegt de
oudste zoon: 'Pa, ik ben ook homo.' En de jongste:
'Ik ook.' Waarop de vader vraagt: 'Houdt er hier dan
niemand gewoon van een lekker wijf?' De dochter:
'Jawel, ik!'

241

Op de honderdste verjaardag van Max komt
burgemeester Wolfsen ook langs. Hij nodigt Max
uit voor een ritje in zijn dikke, vette Mercedes.
Onderweg terug op de A2 vanuit Amsterdam
(jaja, laat dat maar aan Wolfsen over) vraagt de
burgemeester wat Max nu eigenlijk het leukste
van de dag vond. 'Die borden langs de weg,
burgemeester,' zegt Max. 'Ik had niet verwacht dat
er overal 'Max 100' zou staan.'

242

Barbara en Hans liggen op bed. Om drie uur
's nachts gaat de telefoon. Hans neemt op en
antwoordt: 'Hoe weet ik dat nou, man? Dat is aan de
andere kant van het land!' Boos legt hij de telefoon
neer. 'Wie was dat, Hans?' vraagt Barbara. 'Geen
idee. Een of andere gozer die wilde weten of de kust
veilig was.'

243

Een Surinamer komt bij het UWV en vraagt aan de
dame achter het loket: 'Kan ik een baan krijgen? Ik
wil graag werken.' 'Natuurlijk,' zegt de vrouw. 'Ik
heb een topbaan voor u. Directeur, vet salaris, auto
van de zaak, GSM en natuurlijk een MacBook Pro.'
'U maakt zeker een grapje?' vraagt de Surinamer.
'Hallo,' zegt de vrouw, 'wie begon er nou?'

244

Voor de kroeg in een moderne nieuwbouwwijk staat een paard. Een nieuwe gast vraagt de barkeeper: 'Waarom staat daar een paard?' 'Voor de weddenschappen,' zegt de barkeeper. 'Wie het paard kan laten huilen, krijgt 100 euro. En wie het kan laten lachen, krijgt ook 100 euro.' De man gaat naar buiten en binnen een minuut staat het paard te gieren van de pret. De man incasseert zijn 100 euro. Daarna gaat ie weer naar buiten en het paard begint meteen te janken als een klein kind. Weer binnen incasseert hij zijn tweede 100 euro. 'Hoe kreeg je dat voor elkaar?' vraagt de barkeeper. 'Simpel,' zegt de man. 'Eerst zei ik dat mijn piemel groter was dan die van hem. De tweede keer liet ik 'm zien.'

245

In de snackbar staat een Belg constant geld in de snackautomaat te gooien. Als hij tien frikandellen, acht kroketten, zes bamischijven en vier ballen gehakt heeft opgegeten, vraagt de snackbarhouder of het niet gezonder zou zijn om te stoppen. Waarop de Belg zegt: 'Zolang ik win, ga ik door!'

246

Zitten twee blondjes in de hemel. Vraagt de ene
aan de andere: 'Hoe ben jij doodgegaan?' 'Aan een
hartaanval. En jij?' 'Ik ben doodgevroren. Maar hoe
kreeg je dan een hartaanval?' 'Ik dacht dat mijn man
een minnares had. Ik ben alle kamers langs geweest
en op zolder kreeg ik opeens een hartaanval.' 'Goh,'
zegt de ander. 'Als je in de diepvries had gekeken,
waren we allebei nog in leven geweest.'

247

De minister van Defensie wil bezuinigen en besluit
een aantal militairen vervroegd met pensioen te
sturen. Naast een jaarsalaris krijgen de militairen
een premie: 10.000 euro voor elke decimeter tussen
twee zelfgekozen punten op het lichaam van de
betreffende militairen. De eerste liet de afstand
tussen zijn kruin en tenen meten en kreeg 180.000
euro mee. De tweede ook: 205.000 euro. Toen
was de derde aan de beurt. 'Meet maar de afstand
tussen mijn penis en mijn ballen,' zei hij. De meet-
militair pakte de meetlat, maar de militair hield hem
tegen. 'Zinloos, jochie. Mijn penis hangt er nog,
maar mijn ballen liggen dankzij een bermbom in
Afghanistan.'

248

Een Belg gaat bij een Limburgse boer aardappelen kopen. 'Maar je moet ze zelf uitgraven,' zegt de boer. Omdat de Belg niet weet hoe dat moet, doet de boer het één keer voor. Hij zet zijn riek in de grond, schept en haalt er een struik met acht aardappelen uit. 'Geen probleem,' zegt de Belg. Een uur later komt de boer terug. Hij ziet de Belg in een kuil naast een enorme berg grond staan. 'Wat ben jij nu aan het doen?' vraagt hij de Belg. 'Mijn stronk had maar zeven aardappelen, ik zoek de achtste.'

249

Als Harmen laat thuiskomt, vraagt zijn vader wat hij heeft gedaan. 'Ik heb voor het eerst seks gehad, vader,' zegt Harmen. 'Goed zo, jongen,' zegt de vader. 'Ga zitten en neem een biertje.' Waarop Harmen zegt: 'Dat biertje graag, maar zitten lukt voorlopig even niet.'

Kan dit beter?

Het is onze bedoeling elk jaar een boekje uit
te brengen met de beste 249 moppen van dat
moment. Maar daarbij hebben we jouw hulp nodig!

Ga naar de website komteenman.nl. Daar kun
je twee dingen doen. Moppen wegstemmen. En
moppen toevoegen. Het wijst zich allemaal vanzelf.
Als jouw mop uiteindelijk wordt toegevoegd, krijg je
in de volgende editie alle eer die jou toekomt.

Help ons 'Komt een man bij de dokter... ' elk jaar
beter maken!

En tot die tijd moet je het hiermee doen. Nog eentje
om het af te leren?

Pinokkio ligt tijdens een schoolreisje op het strand
te zonnen. Als alle andere kinderen weg zijn, gaat
de juf op zijn gezicht zitten en vraagt: 'En, Pinokkio,
kun jij wel zwemmen?'

Tot volgend jaar!